D1237698

El gran libro de los

JUGOS Y BATIDOS

SU SALUD EN UN VASO

Emoke Ijjász
María Cristina Rincón

Ilustraciones
Danilo Ramírez P.

Fotografías
Matthew Leighton

Producción fotográfica
Emoke Ijjász y Matthew Leighton

Preparación y maquillaje
Emoke Ijjász

Primera edición, Editorial Voluntad S.A., 1994

Primera edición en Panamericana Editorial Ltda., 2000

Edición especial para Bookspan, 2006
501 Franklin Avenue
Garden City, NY 11530 - USA

ISBN: 978-0-7394-7612-3

Todos los derechos reservados.
Prohibida su reproducción total o parcial
por cualquier medio sin permiso del Editor.

Impreso en Estados Unidos
Printed in the USA

Contenido

Introducción

*Q*uizás una de las consecuencias del actual "retorno" a la naturaleza es la certidumbre final de que sólo de la vida nace la vida y se multiplica sin cesar. Si bajo la luz de esta "norma de vida" reflexionamos sobre nuestros hábitos cotidianos, nos llevaremos algunas sorpresas. La primera de ellas puede ser que no nos alimentamos como debe ser. En lugar de alimentos en su estado natural, como sabiamente los consumían nuestros ancestros, quizás ingerimos demasiados productos que han perdido sus poderes vivificantes y los suplementamos con vitaminas y otros químicos.

En efecto, las verduras crudas y las frutas enriquecen nuestro organismo con nutrientes de la más alta calidad, la cual se deteriora cuando son sometidas a la cocción; en cambio, los jugos elaborados con ellas contienen vitaminas, minerales y enzimas que complementarán satisfactoriamente nuestra dieta y sabores y aromas variados, exquisitos muchas veces, que impregnarán nuestra vida de energía, si se acompañan de una dieta establecida por un profesional y de ejercicio regular.

Respecto a los suplementos vitamínicos sintéticos se cree que su consumo prolongado puede provocar desbalances químicos en el organismo y, por consiguiente, enfermedades. Nuestro cuerpo, de evolución milenaria, sabe asimilar perfectamente los alimentos naturales y eliminar aquello que no necesita y no está preparado para enfrentarse con los excesos de productos de reciente manipulación química.

Además, los estudios sobre los alimentos son relativamente nuevos: éstos contienen nutrientes que la ciencia aún ignora o con los que apenas está experimentando; por tanto, no es sorprendente que un suplemento químico no sintetice TODO lo que el alimento natural nos proporciona con amplia variedad.

Los jugos de frutas y verduras crudas nos nutrirán con un mínimo gasto de energía, fortalecerán el sistema inmune y nutrirán rápidamente aquellas partes del cuerpo propensas a las enfermedades por déficits alimentarios; además, los jugos son deliciosos. Ensaye las recetas que le sugerimos y haga sus propias combinaciones, empleando aquellos alimentos que más le gusten, así logrará sabores nuevos y preparaciones nutritivas y novedosas.

Se ha comprobado que desarrollar actividades agradables, vivir plenamente y tener buenos amigos, fortalece nuestra natural inmunidad contra los gérmenes, los millones de bacterias que nos acechan y las influencias hereditarias negativas. También, que entre aquellas comunidades que viven en estrecho contacto con la naturaleza se registra el mayor número de casos de longevidad. Por eso le sugerimos acercarse a la naturaleza, programar caminatas a lugares hermosos donde la vida bulle y donde respire aire puro... y también, en su vida diaria, que complemente su dieta con jugos NATURALES, una buena manera de garantizarle a su organismo el indispensable suministro de VIDA.

Alimentos que varían de nombre en países de América

Aguacate: palta, abacate, cura.

Ají: chili, ají dulce, ají picante.

Alcachofa: alcauciles, alcachofras.

Arepas: torticas de maíz.

Arracacha: pacacha.

Arveja: guisantes, chícharos, ervilhas.

Badea:
granadilla gigante, parcha granadilla, maracujá, mamâo.

Batata: gamote.

Berenjena: berinjelas.

Berros: agriao.

Brevas: higos verdes.

Cebolla: cebola.

Cebollines:
cebolla china, cebolina, cebollina.

Cilantro: culantro.

Ciruela: jocote.

Coliflor: couve-flor.

Curuba:
tumbo, granadilla cimarrona, parcha, tintín, tacso.

Chontaduro: cachipay, pejibaye.

Fresa: frutilla, fresón.

Granadilla:
granadita, parcha amarilla, tintín, apincoya.

Habas: favas.

Habichuelas:
porotos verdes, judías, alubias, ejotes, chauchas.

Lechuga: alsface.

Lentejas: lentilhas.

Lulo: naranjilla.

Maíz: choclo, mazorca, jojoto, elote.

Marañón: cajú, cajuil, merey.

Maracuyá:
granadita de china, pasionaria morada.

Níspero: sapotilla, chicozapote.

Papa: patata.

Papaya:
lechosa, melón, sapote, fruta bomba.

Patilla: sandía.

Piña: ananá.

Piñuela: timbirichi.

Plátano: banana, cambur, banano.

Remolacha:
betarraga, betarraba, betabel.

Repollo: col, repolho.

Tomate de árbol: tamarillo.

Uchuva:
miltomate, topotopo, uvilla, capulí, alquequenje.

Zanahoria: cenoura.

Zapallo: auyama, calabaza, abóbora.

Zapallo italiano:
suquini, calabacines, calabacita.

Zapote: mamey colorado.

Los nutrientes

Una alimentación racional es la que proporciona al organismo los nutrientes necesarios para mantenerse sano, es decir, la que permite reparar las pérdidas naturales que se experimentan por el solo hecho de vivir, y suministrar la energía necesaria para mantenerse con vida. El alimento contribuye a la salud física, mental y emocional.

El ser humano sabe que necesita "comer para vivir"; los niños lo necesitan para crecer normalmente y los adultos para conservar y mantener la energía. Pero el alimento que ingerimos puede hacer más que satisfacer el apetito y cubrir las necesidades fisiológicas. La moderna ciencia de la nutrición ha demostrado que pueden añadirse "años a nuestra vida" y "vida a nuestros años", si se tienen en cuenta no sólo los actuales conocimientos sobre nutrición, sino la selección y el uso correcto de los alimentos.

Antiguamente, el ser humano seguía una alimentación simple y sólo comía alimentos sin refinar: frutas, verduras, leguminosas, leche, cereales integrales... ricos en vitaminas y minerales naturales. Desde finales del siglo XIX, han ido apareciendo alimentos cada vez más refinados como las harinas, arroz, azúcar, grasas... los cuales han ido perdiendo progresivamente su mayor riqueza nutritiva como las vitaminas, minerales y fibra, hasta convertirse en alimentos vacíos, carentes de los nutrientes indispensables.

El conocimiento de la nutrición se ha desarrollado hasta tal punto, que hoy podemos saber lo que el cuerpo humano necesita obtener del alimento que ingiere.

Existen alrededor de medio centenar de sustancias distintas, las cuales se denominan *elementos nutritivos* o *nutrientes,* y cada uno tiene funciones específicas que realizar en el organismo.

Son *nutrientes* las proteínas, los hidratos de carbono, las grasas, la fibra, las vitaminas y los minerales.

Proteínas

Las *proteínas* o *prótidos* son sustancias orgánicas compuestas por carbono, hidrógeno, oxígeno, que tienen la particularidad de contener también nitrógeno. Forman la mayor parte de los tejidos de las plantas y animales.

Su importancia radica en que son indispensables para la formación y el crecimiento de nuevos tejidos. Sirven como materiales de construcción, para reparar las células durante el crecimiento, y para sustituir las células desgastadas o dañadas. Entran igualmente en la producción de las sustancias activas de las glándulas de secreción interna, y tienen además otras funciones vitales como la de aumentar las defensas del organismo ante posibles infecciones. Durante la digestión las proteínas se transforman en sustancias conocidas como *aminoácidos,* los cuales son absorbidos por el tubo digestivo y aprovechados por el organismo para formar sus propias proteínas.

Aunque existen diferentes proteínas, todas están formadas por distintas combinaciones de los 23 aminoácidos conocidos o de algunos de ellos. Mientras que algunos pueden producirse en el organismo, otros deben ser proporcionados por los alimentos y reciben el nombre de *proteínas esenciales.*

Las proteínas con suficiente cantidad de los 23 aminoácidos esenciales, aptas para satisfacer todas las necesidades de nitrógeno del organismo, reciben el nombre de *proteínas de primera clase o completas.*

A este grupo pertenecen las proteínas de la leche y sus derivados (a excepción de la crema de leche y la mantequilla), las de los huevos, las de las carnes, las del germen de trigo y algunas contenidas en la soya y en ciertas nueces y cereales.

Reciben el nombre de *proteínas de segunda* o *parcialmente incompletas,* aquellas con poca cantidad de aminoácidos esenciales, aptas para el mantenimiento de la vida, pero incapaces de asegurar un crecimiento normal. Se encuentran en las leguminosas.

Existen otras proteínas deficientes desde el punto de vista nutricional, que carecen por completo de ciertos aminoácidos esenciales y, por tanto no permiten el mantenimiento de la vida. Son las *proteínas de tercera clase* o *proteínas incompletas.* Se encuentran en el maíz y en la gelatina de los huesos.

Es importante tener en cuenta que cierta cantidad de proteína completa puede proporcionar los elementos faltantes en las proteínas incompletas. Por ejemplo, la leche es el complemento

ideal de las proteínas de los cereales. También es posible alimentarse correctamente consumiendo proteínas vegetales de distinta composición, puesto que se complementan entre sí. Por ejemplo, el maíz y algunas leguminosas como soya, fríjol y garbanzo.

Contenido de proteínas en g/100 g

Verduras

———

Maíz tierno (choclo) 4,7

Repollita de Bruselas 4,7

Ajo 4,7

Brócoli 4,0

Balú (chachafruto) 4,0

Espinaca 3,5

Perejil 3,4

Nacuma (Palmera-cogollo) 3,4

Guasca 3,2

Coliflor 3,0

Alcachofa 2,6

Guisante 2,6

Acelga 2,4

Alcaparra (encurtida) 2,3

Repollo 2,2

Habichuela 2,1

Colinabo 1,7

Berro 1,7

Cebolla puerro 1,6

Cidrayota (guatila) 1,5

Remolacha 1,4

Repollo (hojas blancas) 1,4

Lechuga 1,1

Berenjena 1,0

Pimiento morrón verde 1,0

Auyama 0,9

Tomate 0,9

Acelga (tallos) 0,8

Frutas

Hidratos de carbono

Los *hidratos de carbono, carbohidratos* o *glúcidos,* son sustancias químicas compuestas de carbono, hidrógeno y oxígeno. Se originan en los vegetales gracias al proceso conocido como fotosíntesis (acción de la luz solar sobre las hojas verdes de los vegetales mediante la intervención de la clorofila).

Los hidratos de carbono que las plantas no necesitan para su propia energía se acumulan como reservas nutritivas en forma de azúcares, almidones y otros compuestos energéticos en las frutas, semillas, raíces y tubérculos, constituyendo generalmente el 50 al 60% del aporte calórico de nuestra alimentación.

En el organismo los alimentos se convierten en azúcares simples, como la *glucosa* (que se encuentra en el maíz y las cebollas); la *fructosa* (en la miel y en las frutas); la *sacarosa* (en la caña de azúcar y remolacha azucarera); *la lactosa* (en la leche) y *la maltosa* (que se obtiene de granos germinados).

Los hidratos de carbono son muy importantes para el organismo como fuente de calor y energía muscular. Facilitan también la combustión de las grasas, y cuando se suministran en cantidad suficiente permiten al organismo economizar el consumo de proteínas.

Contenido de hidratos de carbono en g/100 g

Verduras

Maíz tierno (choclo)..27,8
Cebolla puerro 13,7
Balú (chachafruto)...13,3

Frutas

Dátil...71,2
Tamarindo 61,3

Cachipay (chontaduro) 37,6

Cidra 36

Umuy (almendra) 31,7

Marañón 30,2

Árbol de pan 29,4

Anón 25,4

Borojó 24,7

Banano común 22,0

Níspero 22,0

Ciruela común 20,8

Chirimoya 18,2

Mango 16,4

Manzana 15,0

Pitahaya amarilla 13,2

Icaco 13,1

Guanábana 13

Piña 13

Zapote 12,4

Manga 12,2

Guama 12

Feijoa 11,9

Caimo morado 11,9

Granadilla 11,6

Coco (leche) 11,2

Maracuyá 11

Uchuva 11

Ciruela de tierra fría 10,6

Durazno blanco 10,4

Granada 10,2

Coco (pulpa) 10,2

Badea 10,1

Grasas

L as grasas o *lípidos* se encuentran tanto en el reino animal como en el vegetal. Las grasas animales conocidas como "saturadas" son sólidas a temperatura ambiente, mientras que las grasas vegetales conocidas como "no saturadas" o "poliinsaturadas", casi siempre son líquidas a temperatura ambiente.

Las grasas de origen animal generalmente son ricas en colesterol, predisponen a la arterioesclerosis y se encuentran en la mantequilla, las carnes, los huevos y también, aunque en menor proporción, en las grasas industrializadas de coco y palma.

Las grasas de origen vegetal no sólo son más fáciles de digerir y no aumentan la arterioesclerosis, sino que algunas tienden, incluso, a prevenirla. Entre éstas se encuentran los aceites vegetales.

Contenido de grasas en g/100 g

Verduras

Acelga (hojas)	2,4
Nacuma (palmera-cogollo)	2,0
Maíz tierno (choclo)	1,2
Alcaparra	0,6
Perejil	0,6
Guasca	0,5

Frutas

Castaña del Pará (nuez)	66,6
Marañón (almendra)	38,6
Coco (leche)	35,8
Coco (pulpa)	27,0
Aguacate	13,3

Vitaminas

*E*l concepto de *vitaminas* y el conocimiento de ellas se desarrolló en la primera mitad del siglo XX.

En 1912, el bioquímico inglés Hopkins descubrió ciertas sustancias orgánicas en los alimentos a las cuales llamó "factores alimenticios accesorios". Posteriormente, el bioquímico polaco Funk las llamó *vitaminas* o "unión de vitalidad". Las vitaminas son diversas sustancias que se encuentran en pequeñas cantidades en los alimentos, y son indispensables para el normal funcionamiento del organismo.

Las vitaminas no producen energía (caloría) como las sustancias nutritivas propiamente dichas (proteínas, hidratos de carbono, grasas), y son indispensables para el organismo en pequeñas cantidades. La ausencia puede determinar graves trastornos funcionales produciendo avitaminosis. Con el auge de la dietética y la preocupación por la vida sana, las vitaminas han pasado a un primer plano, tanto en el campo de la nutrición como en el estético. El justo equilibrio de todas las vitaminas nos proporciona un aspecto saludable. La mejor forma de obtener las vitaminas necesarias para el organismo no es mediante pastillas sino con una dieta bien balanceada que incluya alimentos en la forma más natural posible. El cuerpo las extrae, luego las asimila y sólo en casos especiales deben suministrarse como suplemento. Una dosis excesiva puede ser tan perjudicial como su falta.

Las vitaminas se dividen en dos grupos, según su solubilidad: *hidrosolubles* o solubles en agua y *liposolubles* o solubles en sustancias grasas. Al primer grupo pertenecen las del complejo B y la vitamina C. Al segundo, pertenecen las vitaminas A, D, E y K.

Vitamina A

Conocida también como *retinol,* es necesaria para el crecimiento, nutre y protege las mucosas, lucha contra la infección, forma el tejido fotosensible de la retina, mantiene la piel sana y juega un papel importante en el desarrollo del embrión.

La vitamina A se encuentra ya formada en los alimentos de origen animal como la leche, crema de leche, mantequilla, yogurt, huevos y toda clase de hígados. En los vegetales no se encuentra ya formada sino como sustancias precursoras que favorecerán la formación de la vitamina. Se conocen como *provitaminas* y se encuentran en las verduras y frutas de color amarillo, en forma de *caroteno.*

La palabra caroteno deriva de *carotte* o *carrot* que significa zanahoria, por ser esta raíz una fuente rica en vitamina A. También se encuentra en la batata, sobre todo en las variedades amarillas, en las espinacas, berros, repollo, arvejas, pimientos verdes y amarillos, y en las frutas amarillas como mango, papaya, albaricoque, melocotón. Las naranjas, tomates, melón y maíz amarillo contienen caroteno en menor proporción.

Contenido de vitamina A en UI*/100 g

Verduras

Pimiento	7.800
Zanahoria	7.000
Auyama	3.400
Guasca	3.200
Perejil	3.200
Espinaca	2.500
Berro	2.400
Acelga	1.800
Repollo	1.100
Tomate	1.100
Brócoli	700

* Unidades internacionales

Frutas

Complejo vitamínico B

*E*l conocimiento científico de las vitaminas se inició en 1897, con el descubrimiento de la vitamina B1. Hasta 1926 se creyó que había una sola vitamina B, pero en el mismo año se demostró que ésta podía dividirse en dos: la vitamina B1, que actuaba contra la neuritis y servía para evitar el beriberi, y otra llamada B2 que favorecía el crecimiento.

Estudios realizados posteriormente demostraron que la vitamina B2 estaba formada por muchas más; algunas ya han sido aisladas.

La confusión se debe al hecho de que una misma sustancia recibió distintos nombres, y que, a su vez, a varias sustancias se las llamó de la misma manera. Las diversas sustancias de acción vitamínica que se han podido aislar por métodos químicos, y obtenidas a partir de la que en un principio se llamó vitamina B, han recibido el nombre genérico de "complejo vitamínico B".

Entre los componentes del "complejo vitamínico B" encontramos: vitamina B1, tiamina o aneurina; vitamina B2 o riboflavina; niacina o niacinamida; vitamina B6, piridoxina o piridoxal; ácido pantoténico; ácido fólico; biotina; colina, y la vitamina B12 o cianocobalamina, aislada hace poco.

Contenido de B1 (tiamina) en mg/100 g

Verduras

Cilantro 0,30

Espárrago 0,20

Espinaca 0,16

Maíz tierno (choclo) 0,13

Ajo 0,12

Perejil 0,12

Coliflor 0,11

Repollita de Bruselas 0,10

Lechuga 0,10

Balú (chachafruto) 0,09

Auyama 0,09

Berro 0,08

Berenjena 0,08

Brócoli 0,07

Acelga 0,07

Cebolla puerro 0,07

Frutas

Castaña del Pará (nuez) 1,14

Marañón (almendra) 0,43

Borojó 0,30

Tamarindo 0,20

Árbol de pan 0,14

Mandarina 0,11

Anón 0,10

Coco 0,10

Chirimoya 0,10

Naranja 0,08

Níspero del Japón 0,08

Ciruela 0,08

Contenido de B2 (riboflavina) en mg/100 g

Verduras

Espinaca 0,23

Perejil 0,20

Repollo 0,17

Berro 0,16

Acelga 0,15

Alcaparra 0,15

Brócoli 0,14

Repollita de Bruselas 0,13

Alcachofa 0,10

Guisante 0,10

Maíz tierno 0,10

Frutas

Dátil 0,34

Marañón (merey) 0,25

Tamarindo 0,19

Anón 0,17

Maracuyá 0,17

Uchuva 0,17

Chirimoya 0,14

Borojó 0,12

Aguacate 0,12

Cachipay (chontaduro) 0,11

Badea 0,11

Granadilla 0,10

Contenido de niacina en mg/100 g

Verduras

Maíz tierno 1,6

Repollo 1,2

Pimiento 1,1

Berenjena 1,0

Repollita de Bruselas 1,0

Balú (chachafruto) 0,9

Brócoli 0,9

Perejil 0,8

Arveja 0,8

Alcachofa 0,8

Berro 0,8

Frutas

Badea 2,7

Curuba 2,5

Tamarindo 2,5

Borojó 2,3

Vitamina C

C onocida también como ácido ascórbico o cevitámico, es indispensable para la formación del líquido intersticial que se encuentra entre las células del tejido conjuntivo.

Es necesaria para la cicatrización de las heridas, formación y reparación de huesos y dientes, así como para dar resistencia a los capilares sanguíneos.

Cuando la carencia de vitamina C es muy prolongada pueden presentarse hemorragias en las encías y mucosas, luego aparece la anemia y por último los síntomas gradualmente crecientes de la enfermedad de la nutrición conocida como escorbuto.

La vitamina C se encuentra en la mayoría de las frutas y verduras frescas, especialmente cítricos, guayaba, fresa y piña; y en verduras como el tomate, repollo, berro, espinaca y pimiento.

Algunos vegetales como las papas y arvejas también aportan una cantidad relativamente importante de vitamina C.

Contenido de vitamina C mg/100 g

Verduras

Pimiento 160

Repollo 100

Brócoli 100

Berro 70

Repollita de Bruselas 65

Colinabo 60

Repollo 40

Perejil 38

Arveja 30

Espinaca 30

Acelga 30

Tomate 20

Nabo 20

Lechuga 20

Rábano rojo 20

Frutas

Guayaba blanca 240

Guayaba rosada 200

Marañón (merey) 200

Mango 80

Papaya 75

Curuba 70

Papayuela 70

Fresa 60

Naranja 60

Lima 45

Anón 40

Toronja 40

Vitamina E

Todavía no se conocen con exactitud las funciones de esta vitamina; parece que algunas de las propiedades que se le atribuyen no carecen totalmente de fundamento, entre ellas las de eliminar las arrugas e imperfecciones de la piel, aliviar la trombosis coronaria y la angina de pecho. También se cree que ingerir esta vitamina aumenta la potencia sexual, pero aún no se ha comprobado.

Al parecer, su principal función es actuar como antioxidante, impidiendo que las grasas no saturadas y otras sustancias grasas del cuerpo sean destruidas por el oxígeno, de ahí que sea útil en el tratamiento de enfermedades cardíacas y trastornos circulatorios.

Se ha descubierto, también, que alivia los casos de trombosis coronaria, angina de pecho, dolencias cardíacas de origen reumático y otras parecidas, debido a que disminuye la necesidad de oxígeno del organismo, a la vez que incrementa el suministro al corazón. Así mismo, sirve para disolver los coágulos de sangre, ya que dilata los vasos sanguíneos y contribuye a mejorar la circulación de la sangre.

Investigaciones recientes permiten suponer que estas propiedades de la vitamina E se deben a su contenido de selenio. Este mineral no sólo es uno de los antioxidantes más poderosos conocidos sino que parece aumentar la eficacia de esta vitamina.

Sus propiedades cosméticas también son muy conocidas; hace algunos años se descubrió en Estados Unidos que eliminaba las arrugas, cicatrices y otras imperfecciones de la piel.

La fuente más rica de vitamina E es el germen de trigo. También se halla en los aceites vegetales sin refinar: maní, algodón, maíz, girasol, soya, en los cereales integrales, leche, carne y yema de huevo.

Contenido de vitamina E en mg/100 g

Verduras y frutas

Almendra	24,48
Maní	16,37
Mango	19,86
Soya	10 a 15
Maíz	7,78
Espinaca	3,00
Habichuela	2,08
Manzana	0,72
Tomate	0,49

También tienen alto contenido de esta vitamina el espárrago, remolacha, apio y los granos enteros, semillas y nueces.

Minerales

E l ser humano no puede vivir sólo de proteínas, grasas y carbohidratos. A principios de siglo XX se descubrieron otros elementos indispensables en la alimentación como son las vitaminas y minerales, que aunque presentes en el organismo en cantidades mínimas son de gran importancia para la salud del ser humano.

En el cuerpo humano hay cerca de treinta elementos minerales distintos, de los cuales catorce son indispensables. El carbono, hidrógeno, oxígeno y nitrógeno constituyen aproximadamente el 95% del peso del cuerpo, lo cual no quiere decir que los restantes no ejerzan una función importante, como el sodio, potasio, cloro, magnesio, azufre, manganeso, cobre y zinc, que al parecer se encuentran en pequeñas y suficientes cantidades en una alimentación normal. También están otros como el flúor, bromo y silicio, aunque todavía no se ha podido determinar su importancia.

Las sales minerales no tienen una función nutritiva pero son esenciales en la composición de todos los tejidos del cuerpo y su carencia puede producir raquitismo infantil, fragilidad del sistema óseo, caries dentales, anemia, mal funcionamiento de la glándula tiroides, y otros.

Para poder ser asimilados correctamente es preferible que los minerales se absorban en forma orgánica, es decir, que hayan pasado por la etapa vegetal. Si se toman en forma sintética se corre el riesgo de que sean mal asimilados ocasionando graves problemas al organismo.

Calcio

S e encuentra en los huesos y dientes y en menor cantidad en la sangre, siendo indispensable para la coagulación normal y para regular las contracciones del corazón y los músculos. También interviene en la conducción de los impulsos nerviosos. La leche y sus derivados son ricos en calcio.

Contenido de calcio en mg/ 100 g

Verduras

Repollo	344
Guasca	245
Fríjol blanco	243
Perejil	237
Berro	195

Frutas

Fósforo

E s el gran regulador de los cambios orgánicos, a la vez que fortalece el sistema nervioso y el cerebro. Se encuentra en pequeñas cantidades en cada célula del organismo.

Alimentos ricos en fósforo: leche y sus derivados, huevo, carnes, pescados, frutas deshidratadas y cereales integrales.

Contenido de fósforo en mg/100 g

Verduras

Frutas

Castaña del Pará (nuez) 240

Marañón (merey) 470

Borojó 160

Coco 101

Tamarindo 86

Cachipay (chontaduro) 47

Aguacate 40

Dátil 45

Magnesio

E l 70% del magnesio en el cuerpo humano se halla presente en el esqueleto y el 30% restante en los tejidos blandos y en los líquidos del organismo. Con el calcio, participa en el normal funcionamiento de los músculos y del sistema nervioso.

Alimentos ricos en magnesio: cereales integrales, nueces, legumbres (también las hortalizas de color verde oscuro), chocolate y mariscos.

Contenido de magnesio en mg/100 g

Verduras

Soya 240

Fríjol seco 150

Maíz 120

Lenteja 80

Espinaca 50

Arveja 42

Frutas

Hierro

A pesar de la pequeña cantidad de hierro presente en el organismo, desempeña un papel muy importante en su funcionamiento, porque es imprescindible para la formación de los glóbulos rojos de la sangre.

Para que el hierro pueda ser asimilado se requiere la presencia de una pequeñísima cantidad de cobre. Este mineral se encuentra en cantidad suficiente en una alimentación rica en hierro.

Alimentos ricos en hierro: yema de huevo, harina de trigo integral, legumbres, frutas deshidratadas, soya, carnes y vísceras.

Contenido de hierro en mg/100 g

Verduras

Guasca 7,1

Alcaparra (encurtida) 4,2

Espinaca 4,1

Perejil 3,9

Acelga (hojas) 2,9

Berro 2,0

Repollo 1,4

Repollita de Bruselas 1,4

Guisante 1,4

Ajo 1,3

Balú (chachafruto) 1,2

Brócoli 1,1

Nacuma (palmera-cogollo) 1,0

Lechuga 1,0

Repollo (hojas blancas) 1,0

Remolacha 1,0

Habichuela 1,0

Cidrayota (guatila) 0,9

Alcachofa 0,9

Acelga 0,8

Rábano rojo 0,8

Cebolla puerro 0,8

Maíz tierno (choclo) 0,8

Coliflor 0,7

Pimiento morrón rojo 0,7

Tomate 0,7

Frutas

Almendra 4,40

Castaña del Pará (nuez) 3,8

Yodo

Regula el metabolismo de la glándula tiroides y purifica la sangre.

Alimentos ricos en yodo: ajo, cebolla, espárrago, zanahoria, rábano, berro, fresa, piña, limón, naranja, manzana, pera, ostras y harina de trigo integral.

También las verduras cultivadas en suelos ricos en yodo contienen en abundancia este mineral.

Sodio

P articipa en el equilibrio del medio interno del organismo, regulando la entrada y salida del agua. Se encuentra principalmente en el plasma sanguíneo, linfa y líquidos que rodean las células.

Alimentos ricos en sodio: sal, conservas, carnes frías, leche, cereales, verduras, huevos y pescados.

Contenido de sodio en mg/100 g

Verduras

Acelga 147

Apio 126

Repollo rizado 75

Espinaca 71

Remolacha 60

Berro 52

Nabo 49

Zanahoria 47

Perejil 45

Alcachofa 43

Lenteja 30

Repollo 20

Ajo 19

Frutas

Coco 35

Albaricoque deshidratado 26

Breva deshidratada 17

Potasio

I nterviene en la transformación de los glúcidos, en la actividad muscular, en la transmisión del influjo nervioso y en la contractilidad cardíaca. Se encuentra en los glóbulos rojos y en el interior de las células de los tejidos.

Alimentos ricos en potasio: verduras y frutas (especialmente las deshidratadas) y cereales integrales.

Contenido de potasio en mg/100 g

Verduras

Fríjol blanco	1.196
Fríjol rojo	984
Lenteja	790
Perejil	727
Aguacate	604
Acelga	550
Chirivia	541
Ajo	529
Espinaca	470
Alcachofa	430
Setas	414
Papa	407
Repollo crespo	378
Puerro	347
Zanahoria	341
Remolacha	335
Guisante	316

Frutas

Oligoelementos

En los últimos años se ha comprobado la gran importancia que tienen las pequeñísimas cantidades de ciertos elementos minerales, que son indispensables para la salud. Han recibido el nombre de *oligoelementos* y muchos de ellos forman parte de ciertas enzimas o fermentos y otros todavía están en estudio para conocer sus funciones.

Entre estos oligoelementos se encuentran: manganeso, cobalto, cobre, zinc, molibdeno, vanadio, flúor y selenio.

Todos ellos están presentes en una alimentación balanceada.

Son ricos en selenio el nabo, ajo, acelga, perejil, zanahoria, rábano, raíz de jengibre y naranja.

El repollo, fríjol, lenteja, maíz, soya, raíz de jengibre, perejil, zanahoria, ajo, nueces y coco son ricos en zinc.

La coliflor, espinaca y ajo tienen alto contenido de molibdeno.

Fibra

La popularidad de la fibra en los países industrializados crece bajo el impulso de una obsesión colectiva hacia una alimentación natural en la que predomine el contenido de fibra vegetal.

Según investigaciones realizadas en Gran Bretaña se ha llegado a la conclusión de que todo el mundo debería incrementar el consumo de fibra, y recomiendan alcanzar los 30 g diarios, que está muy por encima de los 5 a 10 g diarios promedio de los países desarrollados.

El consumo de fibra reduce el riesgo de numerosas enfermedades como apendicitis, formación de cálculos, diabetes, enfermedades coronarias, pero sobre todo cáncer de colon.

Las frutas contienen fibra en forma de *pectina*, los cereales en forma de *lignina* y en ambos se encuentra también presente en forma de *celulosa* y *hemicelulosa*. Existen "fibras insolubles" como las derivadas de los cereales, que regulan las funciones del aparato digestivo. Éstas se encuentran en el salvado de trigo, pan integral, arroz y pastas integrales, y en los cereales de grano entero o en forma de hojuelas o copos. Las fibras "parcialmente solubles" se encuentran en muchos alimentos como las legumbres (lentejas, garbanzos, arvejas, fríjoles), verduras (pimientos, alcachofas, nabos, habichuelas, espinacas, espárragos) y frutas (melón, brevas, moras, manzanas, peras, frutas secas).

Contenido de fibra en mg/100 g

Verduras

————

Alcachofa	3,0
Perejil	2,1
Berenjena (sin cáscara)	2,0
Brócoli	1,9
Repollita de Bruselas	1,7
Habichuela	1,6
Repollo	1,5
Guisante	1,5
Coliflor	1,4
Cebolla puerro	1,4
Guasca	1,3
Maíz tierno (choclo)	1,2
Alcaparra	1,2
Pimiento morrón rojo	1,1
Zanahoria	1,1
Espinaca	1,1
Auyama	1,1
Nacuma (palmera-cogollo)	1,0
Pimiento morrón verde	1,0
Cidrayota (guatila)	1,0
Acelga	1,0
Lechuga	1,0
Balú (chachafruto)	1,0

Repollo 1,0

Colinabo 1,0

Frutas

Tamarindo 11,9

Borojó 8,3

Coco (pulpa) 4,2

Dátil 3,5

Guayaba blanca 2,8

Guayaba rosada 2,8

Granada 2,7

Manga 2,6

Marañón (merey) (pulpa) 2,5

Breva verde 2,5

Chirimoya 2,0

Pera 2,0

Limón 1,9

Cidra 1,8

Anón 1,6

Guanábana 1,6

Níspero 1,6

Durazno blanco 1,6

Aguacate 1,6

Manzana 1,5

Fresa 1,4

Breva madura 1,4

Marañón (almendra) 1,4

Cachipay (chontaduro) 1,4

Umuy (almendra) 1,3

Papayuela 1,2

Castaña del Pará (nuez) 1,2

Níspero del Japón 1,1

Tomate de árbol 1,1

Feijoa 1,0

Ciruela 1,0

Banano 1,0

Guama 1,1

Caimo morado 1,0

Madroño 1,0

Contenido de fibra dietaria en g/100 g

Verduras

Salvado de maíz 84,6

Salvado de trigo 42,4

Salvado de arroz 21,7

Trigo (germen) 15,0

Maíz (grano entero) 13,4

Harina de trigo 12,6

Avena (hojuelas) 10,3

Alcachofa 5,2

Harina de maíz trillado 5,2

Perejil 4,4

Maíz tierno 3,2

Zanahoria 3,2

Batata 3,0

Brócoli 2,8

Arveja verde 2,6

Espinaca 2,6

Coliflor 2,4

Berro 2,3

Repollo morado 2,0

Calabaza 1,8

Repollo blanco 1,7

Apio 1,6

Cebolla blanca 1,6

Pimentón 1,6

Papa sin cáscara 1,6

Rábano rojo 1,4

Champiñón 1,3

Tomate 1,3

Auyama 1,2

Pepino con cáscara 1,0

Repollo chino 1,0

Zuchini (calabacín) 0,9

Pepino (pelado) 0,6

Frutas

Coco (pulpa) 9,0

Ciruela pasa 7,2

Uva pasa 5,3

Aguacate 3,9

Fresas 2,6

Peras 2,6

Naranja 2,4

Manzana (con cáscara) 2,2

Manzana (pelada) 1,9

Mandarina 1,8

Banano 1,6

Durazno 1,6

Piña 1,2

Melón redondo 0,8

Uva tipo europeo 0,7

Toronja 0,6

Sandía 0,4

Frutas

*A*nterior a la agricultura fue la recolección de las frutas, que eran sustento básico de nuestros ancestros. Desde entonces el instinto nos impulsa a buscarlas no sólo como fuente de alimento sino también de placer. Su nombre deriva del latín *fructus* que a su vez deviene de *fruire,* GOZAR, porque más que consumir sus pulpas frescas, se gozan; porque sus fragancias, texturas y colores nos incitan a comerlas, con deseo, para apropiarnos de cuanto tienen de exquisito.

Posteriores a las flores, a la belleza, al juego de la reproducción vegetal, las frutas son el alimento de las semillas. Allí la vida empieza a gestarse, al hacer posible que las semillas lleguen a la tierra en condiciones de germinar. Así, las frutas son vida, símbolo de fertilidad. ¿Cómo no sucumbir a la tentación de poseerlas, de ser dueños de la vida que contienen?

La ciencia ha comprobado que las frutas son reservas maravillosas de vitaminas, minerales, sales y fibra, entre otros nutrientes. No sólo satisfacen el apetito y calman la sed, por el alto contenido de agua de la mayoría, sino que transmiten energía y fortaleza.

Las frutas generalmente se dividen en tres grupos principales:

- las ricas en agua y vitamina C son refrescantes, y más o menos calóricas según su contenido de azúcar. Entre ellas, tenemos las peras, cítricos, piñas, manzanas, melocotones, mangos y fresas.

- las ricas en glúcidos son energéticas porque proporcionan de 200 a 300 calorías por cada 100 g. Incluyen las castañas, dátiles, ciruelas pasas y frutas secas.

- las ricas en lípidos y pobres en agua generalmente proporcionan calcio y vitamina B. Son muy calóricas (unas 650 calorías en 100 g). Entre ellas se cuentan: las nueces, avellanas y almendras.

Las frutas son un rico alimento complementario de cualquier dieta. El afán de supervivencia nos ha llevado a convertir aquellas que encontrábamos silvestres, en productivos frutales organizados; igual puede suceder con los "hallazgos" que actualmente hacen los científicos en las selvas y que han nutrido a poblaciones indígenas milenarias, una razón adicional para explorar distintos sabores y no temer el encuentro con frutas nuevas, que siempre son regalos de vida.

Algunas sugerencias

• Elabore los jugos con frutas en su punto óptimo de maduración, cuando hayan desarrollado al máximo sus nutrientes; así obtendrá no sólo jugos de muy buen sabor, sino de alta calidad nutricional.

• Quite cualquier impureza de las frutas, lávelas muy bien para retirar todo resto de tierra, pesticidas o fertilizantes que pueden alterar su salud a largo plazo. Para eliminar los pesticidas puede usar un cepillo de cerdas suaves y una solución de jabón suave, ojalá biodegradable.

• Si consigue frutas "enceradas", debe pelarlas.

• Adquiera productos de cosecha: serán más económicos y podrá conseguirlos en su punto óptimo de maduración.

• No se fíe de las frutas perfectas, muchas veces deben su aspecto al uso excesivo de químicos y pesticidas. Por ejemplo, los puntos de color café en la cáscara de las naranjas son indicio de buena calidad.

• Algunas frutas pueden prepararse en jugos con sus semillas y cáscaras esto también depende de las indicaciones dadas por el fabricante del extractor de jugos. Retire las semillas grandes de las frutas.

• Corte las frutas sólo cuando las haya limpiado y medido.

• Cuando cuele jugos, utilice la pulpa como abono o descártela.

• Si prepara jugos con naranjas y toronjas, utilice también la parte blanca que está debajo de la cáscara, porque es rica en nutrientes. Descarte las cáscaras porque contienen una sustancia tóxica que es mejor no beber en grandes cantidades; además, son amargas.

• Cuando prepare jugos con frutas no muy acuosas (banano, aguacate), licue primero otras frutas, mézclelas con ellas y vuelva a licuar. Si desea utilizar el extractor de jugos, siga las indicaciones del fabricante.

• Prepare sólo el jugo que va a consumir fresco. (Si lo almacena se oxida, es decir, pierde hidrógeno).

• Retire las semillas de la manzana porque contienen una sustancia tóxica.

• Las manzanas se conservan por más tiempo en buenas condiciones si no se tocan entre sí.

• Los bananos se conservarán por más tiempo si los refrigera dentro de un frasco herméticamente cerrado, sin quitarles la cáscara.

• Cuando compre cerezas, frambuesas o moras empacadas, observe el fondo del recipiente. Si está muy manchado, es señal de que hay fruta mohosa o en malas condiciones. Si ya las ha comprado, retire las frutas dañadas porque el moho se propaga rápidamente.

• Las fresas se conservarán firmes durante varios días si las refrigera dentro de un colador.

• Cuando lave las fresas no retire el pedúnculo (rabito o pezón) porque absorberán demasiada agua y se volverán pastosas.

• Para saber si un melón está en su punto, agítelo. En su interior escuchará el ruido de las semillas. Observe también el color, que debe variar entre el verde amarillento y el amarillo cremoso. Otro método es presionar con los dedos en el extremo por donde estaba adherido a la planta; si está blando, está maduro.

• Para saber si una sandía está madura, golpéela levemente con sus dedos. Si produce un ruido grave, es buen indicio.

• Para madurar duraznos, peras o tomates, guárdelos en una bolsa de papel con una manzana madura. Agujeree la bolsa y colóquela en un lugar fresco y sombreado. La manzana madura y los bananos despiden gas etileno que estimula a otras frutas a madurarse.

• Para madurar cualquier fruta, envuélvala en papel periódico.

• Para conservar las peras durante mucho tiempo, guárdelas con el pedúnculo hacia arriba.

• Para que el jugo se mantenga frío sin que se diluya, coloque los cubos de hielo dentro de una bolsa plástica bien cerrada e introdúzcala en la jarra.

• Los jugos pueden obtenerse utilizando un extractor (deben seguirse las indicaciones del fabricante) o una licuadora (si la fruta no es jugosa debe agregarse agua al gusto).

Índice de recetas

Badea

Pacífico

Para 2

Pulpa de 1 badea mediana

Agua al gusto

Azúcar al gusto

Semillas de badea para decorar

Licuar la badea con agua y colar.

Agregar azúcar y agua hasta obtener la consistencia deseada y mezclar. Enfriar.

Antes de servir, incorporar las semillas.

Caqui

Crepúsculo

Para 1

1 caqui pelado, sin semillas y cortado en rodajas

1 rodaja de piña de 1 cm de grosor cortada en trozos

1 pera cortada en trozos

Trozo de piña para decorar

Pasar los ingredientes por el extractor de jugos y mezclar.

Servir frío, decorado con piña.

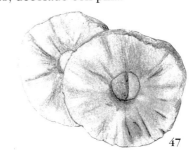

Goloso

1 caqui sin
semillas, cortado en trozos

1 naranja pelada, sin semillas,
cortada en trozos

Rodaja de caqui para decorar

Pasar los ingredientes por el extractor
de jugos y mezclar.

Servir frío, decorado con caqui.

Carambola

Estrella China

Para 2

8 carambolas cortadas en 4

Agua al gusto

Azúcar al gusto

Rodajas de carambola para decorar

Licuar los ingredientes, colar y enfriar.

Servir frío, decorado con carambola.

Musa Verde y Oro Inca

(Ver recetas págs. 55 – 85)

Coco

Pago - Pago

Para 4

2 tazas de leche de coco

1 mango grande pelado,
deshuesado y picado

1/2 piña pelada y picada

4 cdas. de pulpa de maracuyá

Cubos de hielo

Ramitas de hierbabuena
para decorar

Licuar el mango con la piña y un poco
de agua; colar y mezclar con la leche
de coco y la pulpa de maracuyá.

Servir en vasos con hielo, decorados
con hierbabuena.

Nota: para obtener leche de coco,
licuar partes iguales de trozos de coco
y agua caliente a alta velocidad. Colar
y dejar reposar.

Don del Nilo

Para 4

1/4 lb de coco partido en trozos

1 taza de agua hirviendo

11/2 lb de melón frío, pelado,
sin semillas y cortado en trozos

1/2 cdita. de cáscara rallada de lima

Bolitas de melón para decorar

Espiral de cáscara de lima para decorar

Licuar el coco con el agua por 1
minuto. Dejar reposar por 10 minutos,
pasar por un cedazo exprimiendo
bien. Enfriar.

Verter nuevamente la leche de coco
en la licuadora, incorporar el melón y
la lima; licuar hasta obtener una
mezcla suave y cremosa. Colar.

Servir frío, decorado con melón y
lima.

Frambuesa

Cardenal

Para 1

1 naranja pelada, sin semillas y cortada en trozos

1 rodaja de piña de 3 cm de grosor cortada en trozos

1/2 taza de frambuesas

Frambuesas para decorar

Pasar los ingredientes por el extractor de jugos y mezclar.

Servir frío, decorado con frambuesas.

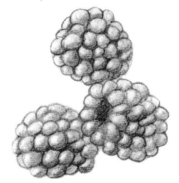

Fresa

Nube Rosa

Para 1

10 fresas

1/4 lb de uvas verdes o negras

Fresas y uvas para decorar

Pasar los ingredientes por el extractor de jugos y mezclar.

Servir frío, decorado con fresas y uvas.

Tornasol

Para 1

8 fresas

1 rodaja de piña de 3 cm de grosor
cortada en trozos

1/4 lb de uvas verdes o negras

Fresas para decorar

Pasar los ingredientes por el extractor
de jugos y mezclar.

Servir frío, decorado con fresas.

Sueño de Verano

Para 1

8 fresas

1 naranja pelada, sin semillas,
cortada en trozos

1/4 toronja rosada pelada, sin semillas,
cortada en trozos

Fresas para decorar

Pasar los ingredientes por el extractor
de jugos y mezclar.

Servir frío, decorado con fresas.

Moulin Rouge

(Ver receta pág. 54)

Moulin Rouge

8 fresas

1 rodaja de piña de 3 cm
de grosor cortada en trozos

1 manzana sin semillas,
cortada en trozos

Fresas para decorar

Pasar los ingredientes por el extractor
de jugos y mezclar.

Servir frío, decorado con fresas.

Rosa Bermuda

10 fresas

1 rodaja de piña
de 3 cm de grosor, picada

Fresas para decorar

Pasar los ingredientes por el extractor
de jugos y mezclar.

Servir frío, decorado con fresas.

Flor de Fresa

3 tazas de fresas

2 manzanas sin semillas, cortadas en trozos

Fresas para decorar

Pasar los ingredientes por el extractor de jugos y mezclar.
Servir frío o a temperatura ambiente, decorado con fresas.

Kiwi

Musa Verde

6 kiwis pelados, cortados en tajadas

4 tazas de uvas verdes

3 tazas de melón pelado, sin semillas y cortado en trozos

Rodaja de kiwi para decorar

Pasar los ingredientes por el extractor de jugos y mezclar.
Servir frío, decorado con kiwi.

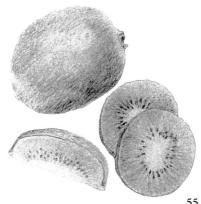

Embrujo

Para 2

3 kiwis cortados en rodajas

1/4 lb de uvas verdes

1 naranja pelada, sin semillas,
cortada en trozos

Rodajas de kiwi para decorar

Pasar los ingredientes por el extractor
de jugos y mezclar.

Servir frío, decorado con kiwi.

Oro Verde

Para 4

4 kiwis
pelados, cortados en cascos

2 bananos
pelados, partidos en trozos

2 tazas de jugo de naranja

Casco de naranja para decorar

Rodaja de kiwi para decorar

Licuar el banano y el kiwi con el jugo
de naranja hasta obtener una mezcla
suave y cremosa.

Servir frío, decorado con naranja y
kiwi.

Verde Ilusión

Para 1

4 kiwis cortados en rodajas

2 manzanas, sin semillas, cortadas en cascos

Rodaja de kiwi para decorar

Pasar los ingredientes por el extractor de jugos y mezclar.

Servir, decorado con kiwi.

Limón

Hada Madrina

Para 4

Jugo de 4 limones o al gusto

1 melón pequeño pelado, sin semillas y cortado en trozos

2 mangos pelados, deshuesados y cortados en tajadas

Espiral de cáscara y rodaja de limón para decorar

Pasar el melón y los mangos por el extractor de jugos. Incorporar el jugo de limón y mezclar.

Servir frío, decorado con limón.

Lulo

Tesoro Inca

Para 4

Pulpa de 8 lulos

4 tazas de agua fría

1 taza de azúcar o al gusto

Ramitas de hierbabuena

Licuar el lulo con el agua y colar. Incorporar el azúcar.

Mezclar y servir adornado con hierbabuena.

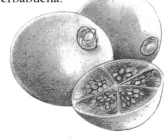

Mango

Mango y Piña Frappé

Para 4

2 mangos medianos pelados, deshuesados y cortados en tajadas

3 tazas de jugo de piña

Tajada de piña para decorar

Hielo triturado (frappé)

Licuar el mango con el jugo de piña y colar.

Servir sobre hielo triturado, decorado con tajadas de piña.

Mango Mágico

2 mangos medianos pelados,
deshuesados y cortados en tajadas

3 tazas de fresas

2 tazas de jugo de naranja

Cubos de hielo

Tajadas de mango para decorar

Fresas para decorar

Licuar los ingredientes hasta obtener
una mezcla suave y colar.

Servir con hielo, decorado con mango
y fresa.

Manzana

Flamingo

2 manzanas sin semillas
y cortadas en cascos

1 taza de fresas

1 cda. de jugo de limón o al gusto

Espiral de cáscara
de limón para decorar

Pasar los ingredientes por el extractor
de jugos y mezclar.

Servir frío, decorado con limón.

Reina María

2 manzanas sin semillas,
cortadas en cascos

1/2 toronja rosada pelada,
sin semillas y cortada en trozos

Ramita de hierbabuena para decorar

Pasar los ingredientes por el extractor
de jugos y mezclar.

Servir frío, decorado con hierbabuena.

Perla de Oriente

Para 1

4 manzanas sin semillas,
cortadas en cascos

1/4 limón con cáscara,
sin semillas, cortado en trozos

Hielo triturado

Rodaja y espiral de cáscara
de limón para decorar

Pasar las manzanas y el limón por el
extractor de jugos y mezclar.

Servir con hielo, decorado con limón.

Mango Mágico
Girasol y Playa Blanca

(Ver recetas págs. 59 – 74 – 84)

Golondrina

3 manzanas sin semillas,
cortadas en trozos

1 pera sin semillas cortada en trozos

Rodaja de manzana para decorar

Pasar los ingredientes por el extractor
de jugos y mezclar.

Servir frío, decorado con manzana.

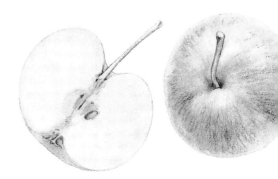

Johanna

2 manzanas sin semillas,
cortadas en cascos

1 naranja pelada, sin semillas,
cortada en trozos

Rodaja de naranja para decorar

Pasar los ingredientes por el extractor
de jugos y mezclar.

Servir frío, decorado con naranja.

Calor Estival

Para 2

3 manzanas sin semillas,
cortadas en cascos

1/4 lb de uvas verdes o negras

1/4 limón sin semillas,
cortado en trozos

Espiral de cáscara
de limón para decorar

Pasar los ingredientes por el extractor
de jugos y mezclar.

Servir frío. decorado con limón.

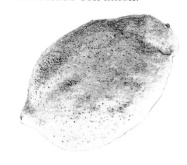

Maracuyá

Acapulco

Para 4

1 taza de jugos de maracuyá

3 cdas. de jugo de limón o al gusto

6 cdas. de pulpa de guayaba

1 taza de jugo de piña•Cubos de hielo

1/2 taza de jugo de naranja

1/2 taza de hielo triturado

Rodaja de limón para decorar

Ramitas de hierbabuena para decorar

Licuar los primeros 6 ingredientes.
Repartir en 4 vasos con hielo y servir
decorado con limón y hierbabuena.

Melón

Trío Festivo

Para 2

1 lb de melón pelado,
sin semillas y cortado en trozos

2 manzanas sin semillas,
cortadas en cascos

10 fresas grandes

Fresas para decorar

Cubos de hielo

Pasar los ingredientes por el extractor de jugos y mezclar.

Servir sobre hielo, decorado con fresa.

Tentación Escarlata

Para 4

3 tazas de melón pelado,
sin semillas y cortado en trozos

2 tazas de fresas

1/2 piña grande pelada
y cortada en trozos

Triángulo de piña
con cáscara para decorar

Fresas para decorar

Pasar los ingredientes por el extractor de jugos y mezclar.

Servir frío, decorado con piña y fresa.

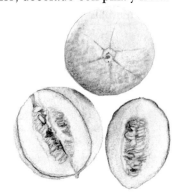

Tentación escarlata

(Ver receta pág. 64)

Luna Verde

Para 2

2 lb de melón pelado,
sin semillas y cortado en trozos

4 kiwis pelados cortados en mitades

Cubos de hielo

Ramitas de hierbabuena

Licuar los kiwis y el melón hasta
obtener una mezcla suave y cremosa.

Servir con hielo, decorado con
hierbabuena.

Coralino

Para 2

1/2 melón pelado,
sin semillas y cortado en trozos

1/4 sandía, pelada,
sin semillas y cortada en trozos

1/2 naranja pelada,
sin semillas y cortada en trozos

Ramita de hierbabuena para decorar

Pasar los ingredientes por el extractor
de jugos y mezclar.

Servir con hielo, decorado con
hierbabuena.

Santa Lucía

Para 2

3/4 lb de melón pelado,
sin semillas y cortado en trozos

1/2 lima con cáscara,
sin semillas y cortada en trozos

1/2 rodaja de lima para decorar

Ramita de hierbabuena para decorar

Pasar los ingredientes por el extractor de jugos y mezclar.

Servir frío, decorado con lima y hierbabuena.

Capri

Para 4

1 melón, pelado,
sin semillas y cortado en trozos

1/2 sandía pequeña, pelada,
sin semillas y cortada en trozos

Ramita de hierbabuena para decorar

Pasar los ingredientes por el extractor de jugos y mezclar.

Servir frío, decorado con hierbabuena.

Corazón de Melón

1/2 melón cantaloupe pelado, sin semillas y cortado en trozos

Ramita de hierbabuena para decorar

Pasar el melón por el extractor de jugos.

Servir frío, decorado con hierbabuena.

Mora

Castilla

Para 4

3 tazas de moras

2 peras grandes, sin semillas, cortadas en cascos

3 tazas de uvas negras

Cubos de hielo

Pasar los ingredientes por el extractor de jugos.

Servir con hielo.

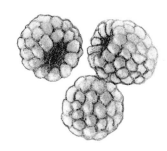

Naranja

San Juan

Para 6

2 tazas de jugo frío de naranja

2 tazas de jugo frío de piña

2 tazas de jugo frío de toronja rosada

Rodaja de naranja para decorar

Triángulo de piña para decorar

Cubos de hielo

Mezclar los jugos y colar.

Servir sobre hielo, decorado con naranja.

California

Para 4

Jugo de 4 naranjas

Jugo de 2 toronjas

Jugo de 2 limones

Azúcar al gusto

Espiral de cáscara de limón

Mezclar los jugos.

Servir frío, decorado con limón.

Embrujo Tropical

Para 4

3 naranjas tangelo peladas,
sin semillas y cortadas en trozos

1 rodaja de piña de 3 cm
de grosor cortada en trozos

1/4 lb de uvas verdes o negras

Trozo de piña para decorar

Pasar los ingredientes por el extractor
de jugos y mezclar.

Servir frío, decorado con piña.

Llamarada

Para 4

3 naranjas peladas,
sin semillas y cortadas en trozos

1 taza de fresas

1/2 banano pelado, cortado en trozos

Fresas para decorar

Pasar los ingredientes por el extractor
de jugos y mezclar.

Servir frío, decorado con fresas.

Cruz del Sur

1 naranja pelada,
sin semillas y cortada en trozos

1 durazno deshuesado,
cortado en trozos

1/2 banano pelado, cortado en trozos

Espiral de cáscara
de naranja para decorar

Pasar los ingredientes por el extractor
de jugos y mezclar.

Servir frío, decorado con naranja.

Rumba

1 naranja pelada,
sin semillas, cortada en trozos

1 rodaja de piña de 3 cm
de grosor cortada en trozos

Rodaja de naranja para decorar

Pasar los ingredientes por el extractor
de jugos y mezclar.

Servir frío, decorado con naranja.

Papaya

Olímpico

Para 4

2 lb de papaya pelada,
sin semillas y cortada en trozos

2 bananos pelados, partidos en trozos

1/2 taza de jugo de limón o al gusto

11/2 tazas de hielo triturado

Espiral de cáscara
y casco de limón para decorar

Licuar los ingredientes hasta obtener
una mezcla suave y cremosa.

Servir frío, decorado con limón.

El Dorado

Para 1

1/2 papaya pequeña, pelada,
sin semillas y cortada en trozos

1 durazno deshuesado,
cortado en trozos

1/2 toronja pelada,
sin semillas y cortada en trozos

Espiral de cáscara
de toronja para decorar

Bolitas de papaya para decorar

Pasar los ingredientes por el extractor
de jugos y mezclar.

Servir frío, decorado con toronja y
papaya.

Embrujo tropical

(Ver receta pág. 70)

Girasol

1 papaya pequeña, pelada,
sin semillas y cortada en trozos

1 rodaja de piña de 3 cm
de grosor cortada en trozos

Pulpa de 1 maracuyá

Bolitas de papaya para decorar

Pasar los ingredientes por el extractor
de jugos y mezclar.

Servir frío, decorado con papaya.

Bella Vista

1 lb de papaya pelada,
sin semillas y cortada en trozos

4 granadillas

4 tazas de jugo frío de piña

Bolas de papaya para decorar

Ramitas de hierbabuena para decorar

Cortar las granadillas en mitades,
retirar las semillas y pasarlas por un
colador presionando bien. Descartar
las semillas.

Licuar la papaya con los jugos de piña
y granadilla.

Servir decorado con papaya y
hierbabuena.

Maná tropical

1/2 papaya pequeña pelada, sin semillas y cortada en trozos

1/4 lb de uvas blancas o negras

1 cda. de jugo de limón

Rodaja de limón para decorar

Pasar los ingredientes por el extractor de jugos y mezclar.

Servir frío, decorado con limón.

Pera

Aurora Boreal

2 peras sin semillas, cortadas en trozos

1 manzana sin semillas, cortada en trozos

1/4 limón sin semillas, cortado en trozos

Hielo triturado

Flores comestibles para decorar

Pasar los ingredientes por el extractor de jugos y mezclar.

Servir con hielo y decorar con flores.

Piña

Fantasía

Para 1

3 tajadas de piña de 2 cm de grosor cortadas en trozos

1 mango deshuesado, cortado en trozos

1/2 taza de leche de coco

1 cda. de pulpa de maracuyá

Tajadas de mango para decorar

Pasar los ingredientes por el extractor de jugos y mezclar.

Servir con hielo, decorado con mango.

Nota: Ver la preparación de la leche de coco en la pág. 50.

Sabor a Trópico

Para 1

1/4 piña mediana cortada en trozos

1 manzana sin semillas cortada en trozos

1 naranja pelada, sin semillas y cortada en trozos

3 cdas. de leche de coco

1/2 banano pelado, cortado en trozos

Rodaja de naranja para decorar

Pasar los ingredientes por el extractor de jugos y mezclar.

Servir con o sin hielo, decorado con naranja.

Nota: Ver la preparación de la leche de coco en la pág. 50

Refresco de Baco

(Ver receta pág. 87)

Isla Margarita

Para 1

2 rodajas de piña de 3 cm
de grosor cortadas en trozos

1 lima con cáscara,
sin semillas, cortada en cascos

2 a 3 cerezas para decorar

Trocitos de piña para decorar

Pasar los ingredientes por el extractor
de jugos y mezclar.

Servir frío, decorado con cereza y
piña.

Cascada

Para 1

2 rodajas de piña de 3 cm
de grosor, cortada en trozos

1 toronja rosada pelada,
sin semillas, cortada en trozos

Rodaja de toronja para decorar

Pasar los ingredientes
por el extractor de jugos y mezclar.

Servir frío, decorado con toronja.

Can - Can

2 rodajas de piña de 3 cm
de grosor, cortada en trozos

1 toronja pelada,
sin semillas, cortada en trozos

1 manzana sin semillas,
cortada en cascos

Trozo de piña para decorar

Pasar los ingredientes por el extractor
de jugos y mezclar.

Servir frío, decorado con piña.

Copacabana

1 rodaja de piña de 6 cm
de grosor cortada en trozos

1/2 papaya pequeña pelada,
sin semillas y cortada en trozos

1 taza de coco rallado

Trozo de piña para decorar

Pasar los ingredientes por el extractor
de jugos y mezclar.

Servir frío, decorado con piña.

Nota: si queda muy espeso puede
agregarse un poco de agua.

Sinfonía de Color

Para 4

1/2 piña grande pelada
y cortada en trozos

2 mangos grandes pelados,
deshuesados y cortados en tajadas

2 tazas de bayas rojas
(fresas, frambuesas)

Trozo de piña para decorar

Pasar los ingredientes por el extractor
de jugos y mezclar.

Servir frío, decorado con piña.

Florida

Para 1

1/4 piña mediana, cortada en trozos

1 toronja pelada, sin semillas,
cortada en trozos

1/4 lb de uvas verdes o negras

Trozo de piña para decorar

Pasar los ingredientes por el extractor
de jugos y mezclar.

Servir con hielo, decorado con piña.

Viva México

(Ver receta pág. 83)

Sandía

Sandía Alegre

Para 2

2 lb de sandía pelada,
sin semillas y cortada en trozos

1 melocotón pelado,
deshuesado y cortado en trozos

1/4 lb de fresas

1 banano pelado, cortado en trozos

Casco de melocotón para decorar

Fresas para decorar

Licuar los ingredientes hasta obtener
una mezcla suave y cremosa. Colar y
enfriar.

Servir, decorado con melocotón y
fresa.

Arizona

Para 4

1 papaya mediana pelada,
sin semillas y cortada en trozos

2 tazas de sandía pelada,
sin semillas y cortada en trozos

3 cdas. de jugo de limón o al gusto

Pizca de sal (opcional) • Cubos de hielo

Espiral de cáscara y casco
de limón para decorar

Licuar los ingredientes hasta obtener
una mezcla suave y cremosa.

Servir en vaso con hielo, decorado con
lim´

Viva México

Para 4

11/2 sandías pequeñas peladas,
sin semillas y cortadas en trozos

1/2 chile jalapeño,
sin semillas, desvenado

Trozo de melón para decorar

Pasar los ingredientes por el extractor
de jugos y mezclar.

Servir frío, decorado con sandía.

Verano Ardiente

Para 4

4 tazas de sandía pelada,
sin semillas y cortada en trozos

2 tazas de fresas

2 tazas de uvas negras

Trozo de sandía con cáscara para
decorar

Pasar los ingredientes por el extractor
de jugos y mezclar.

Servir frío, decorado con sandía.

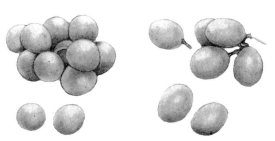

Pájaro de Fuego

Para 4

4 tazas de sandía pelada,
sin semillas y cortada en trozos

2 tazas de bayas rojas
(frambuesas, fresas, etc.)

2 manzanas sin semillas,
cortadas en cascos

Trozo de sandía
con cáscara para decorar

Pasar los ingredientes por el extractor de jugos y mezclar.

Servir frío, decorado con sandía.

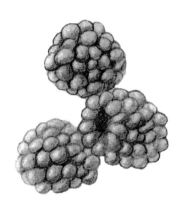

Playa Blanca

Para 1

3/4 lb de sandía cortada en trozos

Espiral de cáscara de limón

Ramita de hierbabuena

Pasar la sandía por el extractor de jugos.

Servir frío, decorado con limón y hierbabuena.

Tomate de Árbol

Oro Inca

Para 4

8 tomates de árbol maduros,
sin pelar y cortados en cascos

4 tazas de agua

1 taza de azúcar o al gusto

Rodajas de tomate
de árbol para decorar

Licuar los tomates con el agua y colar.
Incorporar el azúcar.

Mezclar y servir adornado con tomate
de árbol.

Uva

Quinteto Mágico

Para 4

2 tazas de uvas negras

3 manzanas sin semillas,
cortadas en cascos

1 melocotón deshuesado,
cortado en cascos

1 pera sin semillas, cortada en trozos

1 taza de jugo de naranja

Rodajas de naranja para decorar

Pasar los 4 primeros ingredientes por
el extractor de jugos. Incorporar el
jugo de naranja y mezclar.

Servir frío, decorado con una rodaja de
naranja.

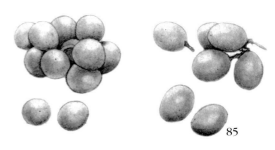

Campos Elíseos

1 lb de uvas negras

2 manzanas sin semillas,
cortadas en cascos

5 peras
sin semillas, cortadas en cascos

Cubos de hielo

Ramita de hierbabuena para decorar

Pasar los ingredientes por el extractor
de jugos y mezclar.

Servir con hielo, decorado con
hierbabuena.

Kon - Tiki

Para 1

1/4 lb de uvas verdes o negras

1 rodaja de piña de 3 cm
de grosor cortada en trozos

1 cda. de jugo de lima

Espiral y rodaja de cáscara
de lima para decorar

Pasar los ingredientes por el extractor
de jugos y mezclar.

Servir frío, decorado con lima.

Refresco de Baco

24 uvas verdes sin semillas

Jugo colado de 4 limas

3 tazas de jugo de uva

Cubos de hielo pequeños

Espiral de cáscara
de lima para decorar

Uvas para decorar

Repartir las uvas en 4 copas y verter encima el jugo de lima.

Incorporar el jugo de uva y mezclar.

Añadir el hielo y servir con cuchara, decorado con lima y uvas.

Playas de Waikiki

Para 4

1/4 lb de uvas verdes

1 rodaja de piña de 3 cm
de grosor, cortada en trozos

1/2 limón con cáscara,
sin semillas, cortado en trozos

Espiral de cáscara
de limón para decorar

Pasar los ingredientes por el extractor de jugos y mezclar.

Servir frío, decorado con limón.

Sibarita

1/4 lb de uvas verdes o negras

1 manzana sin semillas,
cortada en trozos

1 pera sin
semillas, cortada en trozos

Uvas para decorar

Pasar los ingredientes por el extractor
de jugos y mezclar.

Servir frío, decorado con uvas.

Isla de Sol

Para 1

1/4 lb de uvas negras

1 granadilla pelada

1 pera sin
semillas, cortada en trozos

1 naranja pelada, sin semillas,
cortada en trozos

Uvas negras para decorar

Pasar los ingredientes por el extractor
de jugos y mezclar.

Servir con o sin hielo, decorado
con uvas.

Verduras

"*El* hombre tuvo que contentarse con lo que bastaba al toro, al caballo y al resto de los seres que no eran humanos, es decir, con los sencillos productos de la tierra: hojas, frutos, hierbas y heno", escribió el médico griego Hipócrates, en el 400 a. C., refiriéndose al uso de las verduras.

Éstas son las hojas, tallos, raíces o frutos poco dulces que los primeros hombres encontraron silvestres y que con el tiempo pasaron a cultivarse en las huertas (de ahí que reciban el nombre de hortalizas); se les llamó verduras exaltando el color verde que caracteriza a la mayoría de ellas. Las verduras incluyen las legumbres, que son aquellos frutos o semillas envueltos por vainas como los fríjoles, habichuelas y guisantes.

Las verduras son relativamente pobres en calorías pero ricas en las más variadas sustancias nutritivas. Así, entre más variadas sean las verduras que coma más variadas serán las sustancias nutritivas que asimile su organismo.

Se ha comprobado que cocinar las verduras elimina muchos de sus nutrientes y empobrece nuestra alimentación. También, que después de cortarlas es mejor no lavarlas, porque los cortes facilitan la pérdida rápida de nutrientes.

Muchos tipos de verdura pueden comerse crudos, sólo es cuestión de experimentar sus variados sabores y escoger los más agradables, pues así como uno de los rasgos principales de la alimentación es agradar al gusto, un rasgo humano fundamental es la curiosidad, el acercamiento a cuanto nos rodea para conocerlo a fondo y aprovecharlo para nuestro bienestar. De manera que no tema hacer muchos ensayos hasta aprender a "suavizar con sustancias más débiles lo que es fuerte y excesivo, ateniéndose para todo a la Naturaleza y a sus fuerzas", siguiendo el consejo del sabio Hipócrates. Su salud y su gusto se lo agradecerán.

Algunas sugerencias

• Dos tazas de jugo vegetal fresco contienen las mismas vitaminas, minerales y enzimas vivas que se encuentran en dos ensaladas grandes.

• Limpie las verduras, especialmente las raíces, con un cepillo de cerdas suaves y lávelas con jabón (puede ser de coco).

• Pele las verduras y retire las hojas exteriores cuando lo considere necesario. Tal vez consuma menos nutrientes, pero no consumirá pesticidas.

• Adquiera productos de cosecha, estarán más frescos y ahorrará algún dinero.

• Sólo cuando haya limpiado y medido las verduras, proceda a cortarlas.

• No prepare jugos con las hojas del ruibarbo o la zanahoria, son tóxicos.

• Para quitar el sabor amargo de la berenjena, sumérjala en agua salada a medida que la pele.

• Cuando vaya a pelar ajos, remójelos en agua tibia. La piel se desprenderá fácilmente.

• El perejil le da frescura a otras hierbas. Pique igual cantidad de perejil fresco que de otras hierbas deshidratadas.

• Para conservar el perejil fresco durante más tiempo, refrigérelo con las hojas hacia abajo en un recipiente lleno de agua. Una alternativa es lavar y secar un manojo de perejil, cortar los tallos y picar las hojas, antes de guardarlas dentro de un frasco bien cerrado en el refigerador. Durará más de 15 días.

• Si los pepinos están amargos, sálelos cuando aún estén enteros, sumérjalos en leche ligeramente azucarada por unos minutos y córtelos posteriormente.

• Las habichuelas no deben consumirse crudas porque contienen faseína, una sustancia tóxica.

• Utilice los restos de pulpa que quedan en el extractor para preparar caldos.

• Los jugos pueden obtenerse utilizando el extractor (deben seguirse las indicaciones del fabricante) o una licuadora (en este caso debe agregarse agua).

Índice de recetas

T

Z

Apio

Montecarlo

Para 2

9 tallos de apio cortados en trozos

4 bulbos de hinojo cortados en cascos

4 manzanas cortadas en cascos

Ramita de apio para decorar

Pasar los ingredientes por el extractor de jugos y mezclar.

Servir decorado con apio.

Dulce Natasha

Para 1

2 tallos de apio pelados cortados en trozos

4 manzanas sin semillas, cortadas en cascos

1 tallo de apio con hojas para decorar

Rodaja de manzana para decorar

Pasar los ingredientes por el extractor de jugos y mezclar.

Servir decorado con apio y manzana.

Bella de Flandes

Para 2

3 tallos de apio cortados en trozos

3 tomates grandes cortados en cascos

2 zanahorias cortadas en trozos

1/2 taza de jugo de limón o al gusto

Rodaja de limón para decorar

Ramita de apio para decorar

Pasar los 3 primeros ingredientes por el extractor de jugos y mezclar con el jugo de limón.

Servir decorado con limón y apio.

Andaluz

Para 2

4 tallos de apio
cortados en trozos

4 tomates
grandes cortados en cascos

2 pimientos
verdes cortados en cascos

Rodaja de tomate para decorar

Ramita de apio para decorar

Pasar los ingredientes por el extractor de jugos y mezclar.

Servir decorado con tomate y apio.

Servir decorado con piña.

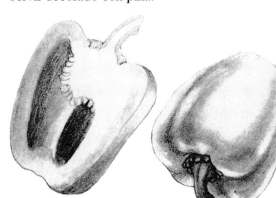

Bella de Flandes

(Ver receta pág. 96)

El Trotamundos

2 tallos de apio cortados en trozos

6 zanahorias medianas cortadas en trozos

4 ramitas de perejil

2 dientes de ajo pelados

1 cdita. de perejil finamente picado

Pasar los ingredientes por el extractor de jugos y mezclar.

Servir espolvoreado con perejil.

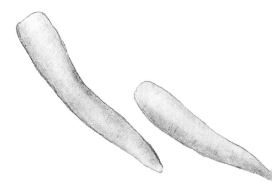

Vergel

6 tallos de apio cortados en trozos (sin hojas)

1/2 repollo pequeño cortado en trozos

4 manzanas sin semillas cortadas en cascos

Pasar los ingredientes por el extractor de jugos.

Mezclar y servir de inmediato.

Verde Ensoñación

Para 3

1 taza de jugo de apio

1 taza de jugo de zanahoria

1 taza de jugo de manzana

2 cdas. de jugo de limón

1 cdita. de perejil picado

Mezclar los ingredientes en un vaso.

Servir salpicado con perejil.

Reino Oculto

Para 2

2 tallos de apio cortados en trozos

4 zanahorias medianas cortadas en trozos

6 hojas de espinaca

4 hojas de perejil

1 tallo de apio con hojas para decorar

Pasar los ingredientes por el extractor de jugos y mezclar.

Servir decorado con apio.

Batata

Frutos de la Tierra

Para 2

2 batatas grandes cortadas en trozos

8 tallos de apio cortados en trozos

4 zanahorias
medianas cortadas en trozos

1 1/2 cm de raíz de jengibre picada

Ramita de apio para decorar

Pasar los ingredientes por el extractor de jugos y mezclar.

Servir decorado con apio.

Tango Bar

Para 1

3 cm de batata cortada en trozos

6 zanahorias
medianas cortadas en trozos

Pasar los ingredientes por el extractor de jugos.

Mezclar y servir.

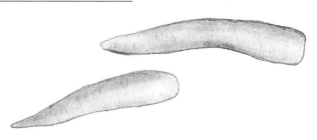

Alegre despertar

(Ver receta pág. 103)

Berro

Fresco Amanecer

Para 1

1 atado de berros

3 tallos de apio cortados en trozos

1 nabo mediano cortado en cascos

1/2 pimiento verde
sin semillas, cortado en tiras

1 taza de hinojo picado

Espiral de nabo para decorar

Pasar los ingredientes por el extractor de jugos y mezclar.

Servir decorado con nabo.

Jade

Para 4

12 ramitas de berro limpias

4 tazas de jugo de piña frío

Ramitas de berro para decorar

Licuar los ingredientes.
Servir decorado con berro.

Esperanza Soleada

Para 2

Jugo de 4 atados de berros

Jugo de 4 toronjas

Ramita de berro para decorar

Mezclar los jugos.

Servir frío, decorado con berro.

Brócoli

Alegre Despertar

Para 1

3 ramos de brócoli
con tallo, cortados en trozos

2 hojas de lechuga picadas gruesas

1/4 repollo pequeño cortado en trozos

4 zanahorias
medianas cortadas en trozos

1/2 manzana
sin semillas, cortada en cascos

Pasar los ingredientes por el extractor
de jugos.

Mezclar y servir.

Campiña

4 ramos de brócoli
con tallo cortados en trozos

4 zanahorias
medianas cortadas en trozos

1 manzana
sin semillas cortada en cascos

Rodaja de manzana para decorar

Pasar los ingredientes por el extractor
de jugos y mezclar.

Servir decorado con manzana.

Flor Silvestre

3 ramos de brócoli
con tallo, cortados en trozos

1/2 cebolla blanca cortada en trozos

3 hojas de repollo
crespo picadas gruesas

4 zanahorias
medianas cortadas en trozos

Pimienta de Cayena al gusto

Cebolla para decorar

Pasar los ingredientes por el extractor
de jugos y mezclar.

Servir decorado con cebolla.

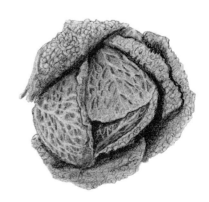

Fruto del Edén

(Ver receta pág. 108)

Palmasola

Para 1

3 ramos de brócoli
con tallos, cortados en trozos

1 diente de ajo pelado

3 tomates cortados en cascos

2 tallos de apio cortados en trozos

1/2 pimiento verde,
sin semillas, cortado en tiras

2 rodajas de tomate para decorar

Pasar los ingredientes por el extractor
de jugos y mezclar.

Servir decorado con tomate.

Calabacín

Cosecha Otoñal

Para 1

1/2 calabacín cortado en trozos

3 zanahorias
medianas cortaads en trozos

1/2 remolacha cortada en trozos

Espiral de cáscara
de calabacín, para decorar

Pasar los ingredientes por el extractor
de jugos y mezclar.

Servir decorado con calabacín.

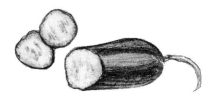

Coliflor

Atardecer

Para 1

5 flores de coliflor
con tallo, cortadas en trozos

4 zanahorias
medianas cortadas en trozos

4 ramitas de perejil

1 ramita de perejil para decorar

Pasar los ingredientes por el extractor
de jugos y mezclar.

Servir decorado con perejil.

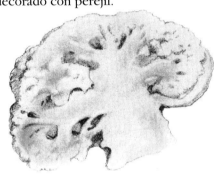

Saratoga

Para 1

3 flores de coliflor
con tallo cortadas en trozos

4 zanahorias medianas
cortadas en trozos

1/2 hoja de repollo
chino picada gruesa

Espiral de cáscara
de zanahoria para decorar

Pasar los ingredientes por el extractor
de jugos y mezclar.

Servir decorado con zanahoria.

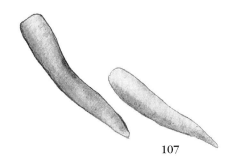

Fruto del Edén

2 flores de coliflor
con tallo, cortadas en trozos

4 zanahorias
medianas cortadas en trozos

1 manzana sin
semillas, cortada en cascos

4 ramitas de perejil

Espiral de cáscara
de zanahoria para decorar

1 ramito de perejil para decorar

Pasar los ingredientes por el extractor
de jugos y mezclar.

Servir decorado con zanahoria y
perejil.

Esplendor de la Huerta

4 flores de coliflor
con tallo, cortadas en trozos

6 hojas de espinaca

1 diente de ajo pelado

4 zanahorias
medianas cortadas en trozos

Espirales de cáscara
de zanahoria para decorar

Pasar los ingredientes por el extractor
de jugos y mezclar.

Servir decorado con zanahoria.

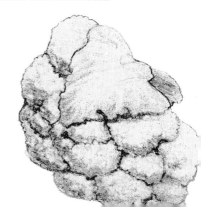

Festival del Sabor

(Ver receta pág. 114)

Espárragos

Saludo de Primavera

Para 2

1 taza de espárragos picados

6 hojas de espinacas picadas gruesas

2 zanahorias
medianas cortadas en trozos

1 rábano rojo

2 tallos de apio cortados en trozos

1 taza de berro

1 cebolla larga cortada en trozos

Pasar los ingredientes por el extractor de jugos.

Mezclar y servir.

El Hortelano

Para 1

2 espárragos cortados en trozos

4 zanahorias
medianas cortadas en trozos

1 tallo de apio cortado en trozos

1 ramita de apio
con hojas para decorar

Pasar los ingredientes por el extractor de jugos y mezclar.

Servir decorado con apio.

Popurrí

Para 2

1 taza de espárragos picados

4 zanahorias
medianas cortadas en trozos

8 hojas de espinaca

1 rábano rojo

4 hojas de repollo picadas gruesas

3 tallos de apio cortados en trozos

1 taza de berro

1 cebolla
larga cortada en trozos

1 tallo de apio
con hojas, para decorar

Pasar los ingredientes por el extractor y
mezclar.

Servir decorado con apio.

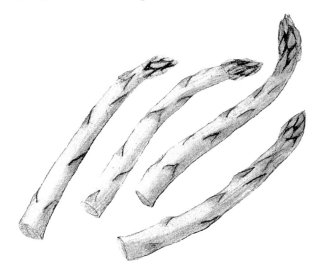

Oasis

Para 1

8 puntas de espárragos

4 zanahorias medianas
cortadas en trozos

8 hojas de espinaca

Pasar los ingredientes por el extractor
de jugos.

Mezclar y servir.

Espinacas

Regalo de la Diosa Pomona

Para 1

10 hojas de espinaca

1 atado de perejil

4 zanahorias
medianas cortadas en trozos

1/2 manzana sin
semillas, cortada en cascos

Ramita de perejil para decorar

Pasar los ingredientes por el extractor
de jugos y mezclar.

Servir decorado con perejil.

Descanso Angelical

Para 1

6 hojas de espinaca

6 zanahorias
medianas cortadas en trozos

Espiral de cáscara de limón

Pasar los ingredientes por el extractor
de jugos y mezclar.

Servir decorado con limón.

Popurrí

(Ver receta pág. 111)

Festival de Sabor

Para 1

10 hojas de espinaca

6 hojas de lechuga

3 zanahorias
medianas cortadas en trozos

4 hojas de repollo

1/2 taza de hinojo picado

Rodaja de zanahoria para decorar

Pasar los ingredientes por el extractor de jugos y mezclar.

Servir decorado con zanahoria.

Mariposa Reina

Para 2

6 hojas de espinaca

5 zanahorias
medianas cortadas en trozos

4 hojas de lechuga

1/2 nabo cortado en cascos

4 ramitas de perejil

Ramita de perejil para decorar

Pasar los ingredientes por el extractor de jugos y mezclar.

Servir decorado con perejil.

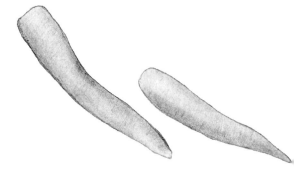

Amazonas

6 hojas de espinaca

6 hojas de lechuga

3 tomates cortados en cascos

3-4 hojas o ramitas
de albahaca o eneldo

1 cebolla larga cortada en trozos

1 pimiento verde
pequeño, sin semillas

1 zanahoria cortada en trozos

Sal al gusto

Pasar los vegetales por el extractor de jugos. Mezclar y sazonar al gusto.

Servir frío o a temperatura ambiente.

Jardín de Popeye

Para 2

20 hojas de espinaca

1 pepino cortado en trozos

2 zanahorias
medianas cortadas en trozos

Espiral de cáscara
de pepino para decorar

Pasar los ingredientes por el extractor de jugos y mezclar.

Servir decorado con pepino.

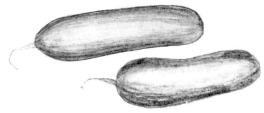

Sol Verde

Para 4

Jugo de 3 lb de espinacas

Jugo de 4 toronjas

Espiral de cáscara
de toronja para decorar

Mezclar los jugos.

Servir frío, decorado con toronja.

Guisante

Copa de Oro

Para 2

2 lb de guisantes

2 lb de raíz china (brotes de soya)

4 tallos de apio cortados en trozos

Ramita de apio para decorar

Pasar los ingredientes por el extractor
de jugos y mezclar.

Servir decorado con apio.

María mexicana

(Ver receta pág. 124)

Hinojo

Viva la vida

Para 1

1/4 lb de bulbo
de hinojo cortado en trozos

3 manzanas sin
semillas cortadas en trozos

Ramita de hinojo para decorar

Pasar los ingredientes por el extractor
de jugos y mezclar.

Servir decorado con hinojo.

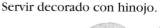

Cóctel de Media Mañana

Para 2

4 bulbos de hinojo cortados en trozos

1 lb de uvas verdes

2 pepinos medianos cortados en trozos

Rodajas de pepino para decorar

Ramitas de hinojo para decorar

Pasar los ingredientes por el extractor
de jugos y mezclar.

Servir decorado con hinojo y pepino.

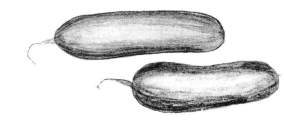

Regalo de la Tierra

1/2 lb de bulbo
de hinojo cortado en trozos

1/2 remolacha cortada en trozos

2 manzanas sin
semillas cortadas en cascos

1 ramita de hinojo para decorar

Espiral de cáscara
de manzana para decorar

Pasar los ingredientes por el extractor
de jugos y mezclar.

Servir decorado con hinojo y manzana.

Jícama

Raíces Mágicas

3 cm de jícama cortada en trozos

6 zanahorias
medianas cortadas en trozos

4 ramitas de perejil

1 ramita de perejil para decorar

Pasar los ingredientes por el extractor
de jugos y mezclar.

Servir decorado con perejil.

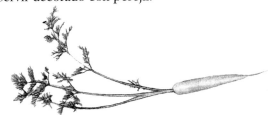

Encuentro de Dos Mundos

Para 1

3 cm de jícama cortada en trozos

4 zanahorias
medianas cortadas en trozos

1 manzana sin
semillas cortada en cascos

1 ramita de perejil

Espiral de cáscara
de manzana para decorar

Pasar los ingredientes por el extractor
de jugos y mezclar.

Servir decorado con manzana.

Lechuga

Cinderella

Para 1

6 hojas de lechuga

2 tallos de apio cortados en trozos

1 manzana verde
sin semillas, cortada en cascos

Tallo de apio con hojas para decorar

Pasar los ingredientes por el extractor
de jugos y mezclar.

Servir decorado con apio.

Catay

Para 2

8 hojas de lechuga picadas gruesas

8 hojas de repollo picadas gruesas

5 zanahorias
medianas cortadas en trozos

Rodaja de zanahoria para decorar

Pasar los ingredientes por el extractor
de jugos y mezclar.

Servir decorado con zanahoria.

Costa de Oro

Para 1

6 hojas de lechuga

6 hojas de espinaca

2 tomates cortados en cascos

2 ramitas de eneldo o al gusto

1 cebolla larga cortada en trozos

1/2 pimiento verde
o rojo sin semillas, cortado en tiras

1 zanahoria pequeña cortada en trozos

1 ramita de eneldo para decorar

Rodaja de tomate

Pasar los ingredientes por el extractor
de jugos y mezclar.

Servir decorado con eneldo y tomate.

Mazorca

Pancho Villa

Para 1

2 mazorcas
de maíz tierno desgranadas

4 tomates cortados en cascos

Gotas de salsa de Tabasco al gusto

Pasar los ingredientes por el extractor
de jugos y mezclar.

Sazonar al gusto y servir.

Papa

Sol y Sombra

Para 1

1/2 papa cortada en rodajas

4 zanahorias
medianas cortadas en trozos

1 manzana
sin semillas cortada en cascos

4 ramitas de perejil

Tiras de zanahoria para decorar

Hojas de perejil para decorar

Pasar los ingredientes por el extractor
de jugos y mezclar.

Servir decorado con zanahoria y perejil.

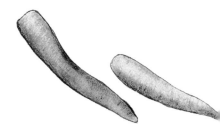

Ramona

Para 1

1/2 papa cortada en rodajas

5 zanahorias
medianas cortadas en trozos

4 ramitas de perejil

4 ramitas de berro

1 ramita de berro para decorar

Pasar los ingredientes por el extractor
de jugos y mezclar.

Servir decorado con berro.

Pepino

Néctar de los Dioses

Para 2

4 pepinos cohombros
medianos cortados en trozos

8 tallos de apio cortados en trozos

2 pimientos verdes cortados en cascos

2 bulbos de hinojo cortados en trozos

Rodaja de pepino para decorar

Ramita de hinojo para decorar

Pasar los ingredientes por el extractor
de jugos y mezclar.

Servir decorado con pepino e hinojo.

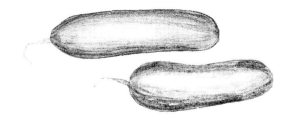

María Mexicana

Para 1

1 pepino pelado cortado en trozos

3 tallos de apio cortados en trozos

1/2 chile jalapeño sin semillas,
desvenado y cortado en tiras

Rodaja de pepino

Pasar los ingredientes por el extractor
de jugos y mezclar.

Servir decorado con pepino.

Tumbaga

Para 1

1/2 pepino cortado en trozos

4 zanahorias
medianas cortadas en trozos

Espiral de cáscara y rodaja de pepino

Pasar los ingredientes por el extractor
de jugos y mezclar.

Servir decorado con el pepino.

Carnaval Carioca

(Ver receta pág. 127)

Flecha Verde

Para 1

1/2 pepino cortado en trozos

2 cebollas largas cortadas en trozos

8 ramitas de berro

4 ramitas de eneldo

1 cda. de jugo de limón

Rodaja y espiral de cáscara de limón

Pasar los ingredientes por el extractor de jugos y mezclar.

Servir decorado con limón.

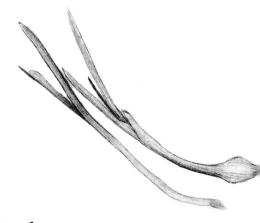

Tesoro Oculto

Para 1

1 pepino cortado en trozos

4 zanahorias
medianas cortadas en trozos

3 hojas de repollo crespo

1/2 pimiento verde cortado en tiras

Rodaja de pepino para decorar

Pasar los ingredientes por el extractor de jugos y mezclar.

Servir decorado con pepino.

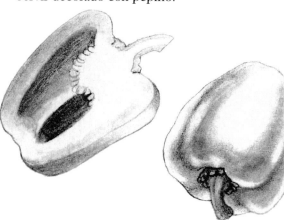

Elixir de Juventud

Para 1

1/2 pepino cortado en trozos

1 tomate grande cortado en cascos

1 tallo de apio cortado en trozos

1 rodaja de lima

Espiral de cáscara de lima para decorar

Pasar los ingredientes por el extractor de jugos y mezclar.

Servir decorado con lima.

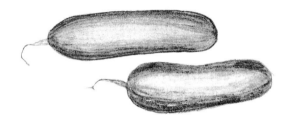

Carnaval Carioca

Para 1

1/2 pepino
cohombro cortado en trozos

2 rodajas de piña
con cáscara cortadas en trozos

1/2 manzana
sin semillas cortada en cascos

1 triángulo de piña
con cáscara, para decorar

2 rodajas de pepino
con cáscara, para decorar

Pasar los ingredientes por el extractor de jugos y mezclar.

Servir decorado con piña y pepino.

Pimiento

Cuarteto de Vegetales

Para 1

4 pimientos verdes cortados en cascos

4 tallos de apio cortados en trozos

2 manojos de perejil

2 zanahorias
grandes cortadas en trozos

Rodajas de zanahoria para decorar

Ramitas de perejil para decorar

Pasar los ingredientes por el extractor de jugos y mezclar.

Servir decorado con zanahoria y perejil.

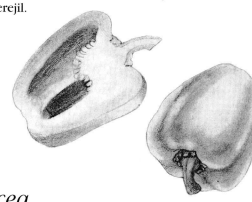

Panacea

Para 1

1 pimiento verde
sin semillas cortado en tiras

1 pimiento rojo
sin semillas cortado en tiras

3 tallos de apio cortados en trozos

1/2 pepino cortado en trozos

5 hojas de lechuga

Rodaja de pepino para decorar

Pasar los ingredientes por el extractor y mezclar.

Servir decorado con zanahoria.

Cuarteto de vegetales

(Ver receta pág. 128)

Misión Verde

1/2 pimiento verde sin semillas,
cortado en tiras

1/2 pepino cortado en trozos

2 zanahorias
medianas cortadas en trozos

1 puñado de berros

6 hojas de espinaca

3 hojas de repollo

Ramitas de berro para decorar

Pasar los ingredientes por el extractor
de jugos y mezclar.

Servir decorado con berro.

Sonrisa de Campeón

1 pimiento verde
sin semillas, cortado en tiras

6 zanahorias
medianas cortadas en trozos

Espiral de cáscara de zanahoria

Pasar los ingredientes por el extractor
de jugos y mezclar.

Servir decorado con zanahoria.

Rábano

Hula - Hula

Para 1

3 rábanos rojos

1 puñado de diente de león

2 rodajas de piña cortadas en trozos

1 rábano rojo para decorar

Pasar los ingredientes por el extractor de jugos y mezclar.

Servir decorado con rábano.

Raíz China

Magia Oriental

Para 2

4 tazas de raíz china (brotes de soya)

6 zanahorias cortadas en trozos

2 pimientos verdes cortados en cascos

2 bulbos de hinojo cortados en trozos

Rodajas de zanahoria para decorar

Ramitas de hinojo para decorar

Pasar los ingredientes por el extractor de jugos y mezclar.

Servir decorado con zanahoria e hinojo.

Expreso de Oriente

Para 2

1 lb de raíz china (brotes de soya)

2 bulbos de hinojo cortados en trozos

2 pepinos cohombros grandes
cortados en trozos

Rodajas de pepino para decorar

Pasar los ingredientes por el extractor
de jugos y mezclar.

Servir decorado con pepino.

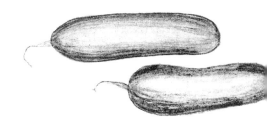

Remolacha

Carmín de Rosa

Para 2

6 remolachas cortadas en trozos

4 tazas de frambuesas

6 tallos de apio

Rodaja de remolacha para decorar

Ramita de apio para decorar

Pasar los ingredientes por el extractor
de jugos y mezclar.

Servir decorado con remolacha y
apio.

Vitamina express

(Ver receta pág. 134)

Vitamina Express

1/2 remolacha cortada en cascos

2 zanahorias
medianas cortadas en trozos

1/2 manzana
sin semillas, cortada en cascos

1 tallo de apio cortado en trozos

1/2 pera sin semillas cortada en cascos

1/4 taza de hinojo picado

Ramita de hinojo para decorar

Pasar los ingredientes por el extractor de jugos y mezclar.

Servir decorado con hinojo.

Sendero Soleado

Para 4

6 remolachas cortadas en trozos

4 zanahorias
medianas cortadas en trozos

2 tazas de jugo de naranja

Rodaja de remolacha para decorar

Rodaja de zanahoria para decorar

Pasar la remolacha y la zanahoria por el extractor de jugos y mezclar con el jugo de naranja.

Servir decorado con remolacha y zanahoria.

Brunch Líquido

Para 2

4 remolachas cortadas en trozos

4 zanahorias cortadas en trozos

4 tallos de apio cortados en trozos

4 tomates cortados en cascos

Ramitas de apio para decorar

Pasar los ingredientes por el extractor de jugos y mezclar.

Servir decorado con apio.

Ciao Bambino

Para 2

4 remolachas cortadas en trozos

4 zanahorias cortadas en trozos

4 tallos de apio cortados en trozos

4 tomates cortados en cascos

Rodajas de zanahoria para decorar

Ramitas de apio para decorar

Pasar los ingredientes por el extractor de jugos y mezclar.

Servir decorado con zanahoria y apio.

Bronx

Para 2

1/2 remolacha cortada en trozos

5 zanahorias
medianas cortadas en trozos

1 manzana
sin semillas cortada en cascos

1/2 rodaja de zanahoria para decorar

Pasar los ingredientes por el extractor de jugos y mezclar.

Servir decorado con zanahoria.

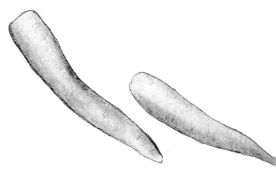

Sol de los Venados

Para 1

1 remolacha cortada en trozos

4 zanahorias
medianas cortadas en trozos

7 hojas de lechuga

3 hojas de acelga

1 hoja de lechuga crespa para decorar

Pasar los ingredientes por el extractor de jugos y mezclar.

Servir decorado con lechuga.

Sueño americano

(Ver receta pág. 142)

Charleston

Para 1

1/2 remolacha cortada en trozos

4 manzanas
sin semillas cortadas en cascos

Riodaja de manzana para decorar

Pasar los ingredientes por el extractor
de jugos y mezclar.

Servir decorado con manzana.

Repollita de Bruselas

Bambú

Para 1

5 repollitas de Bruselas

4 zanahorias
medianas cortadas en trozos

1 manzana
sin semillas cortada en cascos

5 hojas de lechuga

Espiral de cáscara de manzana

Rodaja de zanahoria

Pasar los ingredientes por el extractor
de jugos y mezclar.

Servir decorado con manzana y
zanahoria.

Repollo

Bruja Verde

Para 1

10 hojas de repollo verde

1 tomate cortado en cascos

2 tallos de apio cortados en trozos

Rodaja de tomate para decorar

Pasar los ingredientes por el extractor de jugos y mezclar.

Servir decorado con el tomate.

Palma de Mallorca

Para 1

1/2 repollo pequeño cortado en trozos

2 tallos de apio
pelados cortados en trozos

1 taza de hinojo picado

1 ramita de hinojo para decorar

Pasar los ingredientes por el extractor y mezclar.

Servir decorado con hinojo.

Madreselva

Para 1

6 hojas de repollo picadas gruesas

6 hojas de espinaca

4 zanahorias
medianas cortadas en trozos

Hoja de repollo crespo para decorar

Pasar los ingredientes por el extractor
de jugos y mezclar.

Servir decorado con repollo.

Ocaso

Para 2

8 hojas de repollo picadas gruesas

5 zanahorias
medianas cortadas en trozos

1/2 manzana
sin semillas, cortada en cascos

Espiral de cáscara
de manzana para decorar

Pasar los ingredientes por el extractor
de jugos y mezclar.

Servir decorado con manzana.

Dúo Mineralizante

1/2 repollo pequeño, blanco
o morado, cortado en trozos

4 tallos de apio cortados en trozos

Tallos de apio con hojas para decorar

Pasar los ingredientes por el extractor
de jugos y mezclar.

Servir decorado con apio.

Paraíso

1 hoja grande
de repollo crespo picado grueso

3 manzanas verdes
sin semillas, cortadas en cascos

Espirales de cáscara de lima

Pasar el repollo y las manzanas por el
extractor de jugos y mezclar.

Servir decorado con lima.

Tomate

Sueño Americano

Para 2

2 tomates medianos cortados en cascos

1/2 pepino cortado en trozos

1 zanahoria mediana cortada en trozos

1 tallo de apio cortado en trozos

1 puñado de espinaca

1/2 pimiento rojo

4 hojas de repollo

1 cebolla larga cortada en trozos

Casco de tomate para decorar

Rodaja de pepino para decorar

Pasar los ingredientes por el extractor de jugos y mezclar.

Servir decorado con tomate y pepino.

Arrecife Coralino

Para 2

4 tomates en cascos

3 zanahorias medianas

3 pimientos rojos

Rodaja de zanahoria
y tomate Cherry para decorar

Pasar los ingredientes por el extractor de jugos y mezclar.

Servir decorado con zanahoria y tomate.

Lady Mary

2 tomates cortados en cascos

2 tomates verdes
pequeños cortados en cascos

1 naranja pelada,
sin semillas y cortada en cuartos

4 ramitas de cilantro

1/2 pimiento
rojo sin semillas cortado en tiras

Rodaja de naranja, para decorar

Pasar los ingredientes por el extractor
de jugos y mezclar.

Servir decorado con naranja.

Provenza

Para 1

3 tomates cortados en cascos

2 dientes de ajo pelados

4 ramitas de perejil

2 ramitas de estragón

Rodaja de tomate para decorar

Ramita de perejil para decorar

Pasar los ingredientes por el extractor
de jugos y mezclar.

Servir decorado con tomate y perejil.

Chispa de la Vida

Para 1

4 tomates cortados en cascos

1/2 pepino
cohombro cortado en trozos

1/4 pimiento verde cortado en tiras

1 diente de ajo pelado

2 tallos de apio cortados en trozos

Salsa de Tabasco al gusto

2 rodajas de tomate

2 rodajas de pepino

Pasar los ingredientes por el extractor y mezclar.

Servir decorado con tomate y pepino.

Granate Americano

Para 2

4 tomates grandes cortados en cascos

3 zanahorias
medianas cortadas en trozos

2 dientes de ajo pelados

1 atado de perejil

Rodaja de tomate para decorar

Ramita de perejil para decorar

Pasar los ingredientes por el extractor de jugos y mezclar.

Servir decorado con tomate y perejil.

Granate Americano
y Buenos Días

(Ver recetas págs. 144 – 150)

Rojo Escarlata

1/2 lb de tomates maduros picados

1 cda. de jugo
de limón recién exprimido

Sal y pimienta
negra recién molida al gusto

Rodajas de limón y ramitos de
hierbabuena para decorar

Licuar el tomate y colar.

Incorporar el jugo de limón,
salpimentar y mezclar.

Servir decorado con una rodaja de
limón y hierbabuena.

Cóctel de Vitaminas

2 tomates grandes, sin
semillas y cortados en cascos

1 zanahoria grande cortada en trozos

4-5 ramitas de perejil

1/2 pimiento rojo sin semillas

2 cebollas largas, cortadas en trozos

4 hojas de repollo picadas

8 ramitas de berro lavadas

Pizca de sal

Pasar los vegetales por el extractor de
jugos. Mezclar. Sazonar al gusto y
servir.

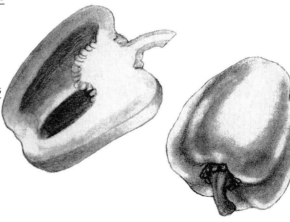

Sorrento

6 tomates cortados en cascos

1/2 pimiento verde sin semillas

2 cebollas largas cortadas en trozos

4 hojas de salvia picadas gruesas

Sal al gusto

Pasar los tomates, el pimiento y las cebollas por el extractor de jugos.

Sazonar al gusto, mezclar y enfriar.

Servir en un vaso salpicado con salvia.

Zanahoria

Bugs Bunny

Para 1

4 zanahorias
medianas cortadas en trozos

1 remolacha cortada en trozos

1 cdita. de perejil finamente picado

Pasar los ingredientes por el extractor de jugos y mezclar.

Servir salpicado con perejil.

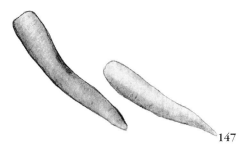

Bella Aurora

4 zanahorias
medianas cortadas en trozos

1/2 lb de melón pelado,
sin semillas, cortado en trozos

Ramita de hierbabuena para decorar

Pasar los ingredientes por el extractor
de jugos y mezclar.

Servir decorado con hierbabuena.

Capricho

Para 1

4 zanahorias
medianas cortadas en trozos

1/2 cm de raíz
de jengibre cortada en tajadas

1/2 manzana
sin semillas cortada en cascos

Pasar los ingredientes por el extractor
de jugos.

Mezclar y servir.

Inspiración Oriental

Para 1

2 zanahorias
medianas cortadas en trozos

2 naranjas peladas,
sin semillas y cortadas en cuartos

1/2 cm de raíz
de jengibre cortada en tajadas

Espiral de cáscara
de naranja para decorar

Pasar los ingredientes por el extractor
de jugos y mezclar.

Servir, decorado con naranja.

Victoria

Para 1

1 zanahoria
mediana cortada en trozos

2 rodajas de piña
peladas y cortadas en trozos

1 naranja pelada sin semillas

Pizca de jengibre en polvo

Trozo de piña para decorar

Pasar los ingredientes por el extractor
de jugos y mezclar.

Servir decorado con piña

Bonanza

Para 1

1 zanahoria cortada en trozos

1 tallo de apio cortado en trozos

3 hojas de repollo picadas gruesas

4 ramitas de perejil

Sal al gusto

Pasar los vegetales por el extractor de jugos. Mezclar, sazonar al gusto y servir.

Buenos Días

Para 2

6 zanahorias
medianas cortadas en trozos

2 manzanas verdes
sin semillas, cortadas en cascos

Pasar los ingredientes por el extractor de jugos.

Mezclar y servir.

Rayo de Sol

Para 1

5 zanahorias
medianas cortadas en trozos

4 ramitas de perejil

Ramitas de perejil para decorar

Pasar los ingredientes por el extractor
de jugos y mezclar.

Servir decorado con perejil.

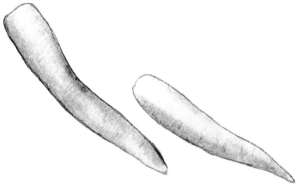

Amanecer

Para 2

3 zanahorias
medianas cortadas en trozos

2 lb de melón pelado
sin semillas cortado en trozos

1/2 taza de jugo de limón o al gusto

Espiral de cáscara
de limón para decorar

Pasar el melón y la zanahoria por el
extractor de jugos. Incorporar el jugo
de limón y mezclar.

Servir decorado con limón.

Delicia

Para 1

4 zanahorias medianas
cortadas en trozos

3 hojas de repollo
crespo picadas gruesas

5 ramitas de perejil

1/2 manzana sin
semillas, cortada en cascos

2 rodajas de zanahoria

Pasar los ingredientes por el extractor
de jugos y meclar.

Servir decorado con zanahoria.

Claroscuro

Para 1

4 zanahorias medianas
cortadas en trozos

1 cm de raíz
de jengibre cortada en tajadas

1 remolacha mediana
cortada en cascos

1/2 manzana sin
semillas cortada en cascos

Espiral de cáscara de manzana

Pasar los ingredientes por el extractor
de jugos y mezclar.

Servir decorado con manzana.

Combinados

*M*ezclar frutas y verduras adicionando polen, germen de trigo, yogurt o miel no sólo es posible sino indispensable, porque elevará sus posibilidades de tener una vida sana consumiendo preparaciones deliciosas y muy nutritivas, verdaderos y exquisitos cócteles de vida.

Como es necesario consumir alimentos de origen animal como la leche y los huevos, que complementan los nutrientes de los alimentos de orgien vegetal con su alto contenido proteínico, proporcionamos en esta sección recetas que los contienen y cuyo sabor realzan las especias, llenan de alegría unas gotas de licor o enriquecen el yogurt, la leche, la miel o el polen.

Índice de recetas

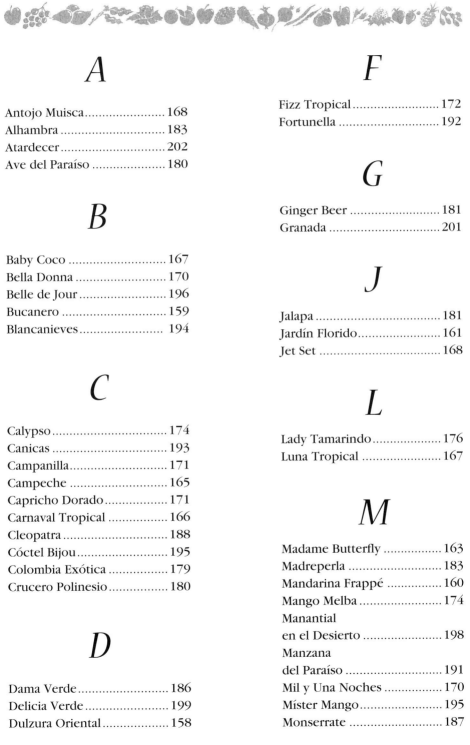

Bucanero

(Ver receta pág. 159)

Dulzura Oriental

2 manzanas cortadas en trozos

1 pera sin semillas, cortada en trozos

1 cm de raíz
de jengibre cortado en tajadas

Rodaja de manzana para decorar

Pasar los ingredientes por el extractor de jugos y mezclar.

Servir frío, decorado con manzana.

Pacífico del Sur

Jugo de 4 limas

4 cditas. de miel de abejas o al gusto

Cubos de hielo

Agua mineral con gas

Espiral de cáscara de lima para decorar

Rodaja de limón para decorar

Verter en cada vaso el jugo de 1 lima y la miel. Mezclar hasta disolver la miel.

Incorporar el hielo y completar con agua mineral.

Servir, decorado con lima y limón.

Bucanero

Para 1

1 naranja pelada,
sin semillas y cortada en trozos

1/2 lima sin pelar cortada en trozos

1 durazno
deshuesado cortado en trozos

1/2 taza de agua mineral con gas

Hielo triturado

Espiral
de cáscara de naranja, para decorar

Pasar la naranja, la lima y el durazno
por el extractor de jugos y mezclar.

Incorporar el agua y el hielo.

Servir decorado con naranja.

Red Rose

Para 4

1/2 lb de ruibarbo
cortado en trozos de 2 cm

3/4 tazas de azúcar o al gusto

1/2 cdita. de esencia de vainilla

1 lb de fresas
lavadas cortadas a lo largo en 4

1 taza de jugo de limón

2 cáscaras de limón
cortadas en espiral, para decorar

Fresas para decorar

3 1/2 tazas de agua • Cubos de hielo

Mezclar el agua con el azúcar, agregar
el ruibarbo, las cáscaras de limón y la
vainilla y calentar, revolviendo, hasta
disolver el azúcar. Tapar y enfriar por
10 minutos; a los 5 minutos
incorporar 1 taza de fresas. Pasar a
través de un colador, presionando
para que el ruibarbo y las fresas
suelten los jugos.

Mezclar las fresas restantes con el jugo
de limón, y repartir en 6 vasos con
hielo. Completar los vasos con el jugo
de ruibarbo y fresas.

Servir decorado con limón y fresas.

Mandarina Frappé

Para 4

Jugo de 12 mandarinas

4 cdas. de azúcar o al gusto

6 gotas de esencia
de vainilla o al gusto

Gajos de mandarina para decorar

Hielo triturado (frappé)

Mezclar los ingredientes.

Servir sobre hielo, decorado con
mandarina.

Tamarinada

Para 4

1/2 taza de pulpa de tamarindo

1/2 taza de azúcar morena o al gusto

1/2 cda. de jengibre rallado

3 tazas de agua caliente

Agua fría al gusto

Azúcar morena o refinada, al gusto

Cubos de hielo

Rodajas de naranja

Mezclar la pulpa con el azúcar y el
jengibre, verter el agua caliente y dejar
reposar por 45 minutos. Colar.

Agregar agua fría y azúcar al gusto.
Enfriar.

Servir en vasos con hielo, decorado con
naranja.

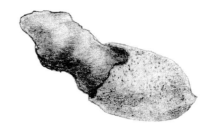

Jardín Florido

1 1/2 docenas de flores
de hibisco (sólo los pétalos)

1/4 taza de jengibre rallado

3 cdas. de jugo
de lima recién exprimido

1 taza de azúcar o al gusto

4 tazas de agua hirviendo

Hielo triturado o hielo en cubos

Flores de hibisco para decorar

Espirales
de cáscara de lima para decorar

Colocar en un recipiente las flores, el jengibre y el jugo de lima, cubrir con el agua caliente, tapar y dejar de un día para otro.

Colar y endulzar al gusto.

Servir frío en copa de cóctel o en ponchera, decorado con las flores y la lima.

Noche Clara

Para 5

1/2 lb de moras

1 tomate de árbol

Leche y azúcar al gusto

Cubrir las moras y el tomate con agua y hervir por 10 minutos. Enfriar, licuar y colar. Incorporar leche y azúcar al gusto. Servir frío.

Oro y Rubí

1 taza de jugo de naranja

1 taza de fresas limpias

2 cdas. de azúcar o al gusto

1 taza de hielo triturado

Fresas para decorar

Licuar los ingredientes.

Servir en copa o vaso previamente enfriado. Decorar con fresa.

Picaflor

Para 4

3 tazas de jugo de naranja

1 taza de puré de frambuesa

4 cditas. de miel de abejas

Hielo triturado (frappé)

Espiral de cáscara
de naranja para decorar

Mezclar el puré con la miel.

Llenar 4 vasos con hielo triturado y verter encima el jugo. Añadir lentamente el puré dejándolo caer hasta el fondo del vaso.

Servir sin mezclar, decorado con la naranja.

Madame Butterfly

Para 4

6 guayabas cortadas en cascos

Azúcar al gusto

Jugo de piña recién exprimido

Jugo de limón al gusto

4 rodajas de guayaba

Cubrir las guayabas con agua, incorporar azúcar al gusto y hervir por 10 minutos. Enfriar y colar.

Agregar partes iguales de jugo de piña, jugo de limón y azúcar al gusto. Servir frío, decorado con guayaba.

Sol del Mediterráneo

Para 2

Jugo de manzana

2 cdas. de jugo
de lima recién exprimido

2 hojas de menta o hierbabuena

1 cdita. de azúcar granulada

Cubos de hielo

Ginger Ale

Rodaja y espiral
de cáscara de lima para decorar

Preparar directamente en vaso largo.

Colocar en cada vaso 2 hojas de menta y 1/2 cdita. de azúcar y triturar con cuchara de mango largo para que suelten el jugo.

Llenar el vaso con jugo de manzana hasta la mitad y mezclar. Agregar 1 cucharada de jugo de lima y 2 a 3 cubos de hielo y mezclar nuevamente.

Completar con Ginger Ale y servir, decorado con lima.

Tesoro Americano

Para 5

1/4 lb de auyama

1 tomate de árbol

Leche y azúcar al gusto

Cubrir la auyama y el tomate con agua y hervir por 10 minutos. Enfriar, licuar y colar. Incorporar leche y azúcar al gusto. Servir frío.

Sol y Mar

Para 6

4 tazas de leche de coco

2 tazas de jugo de piña

8 cditas. de azúcar o al gusto

4 ó 5 gotas de esencia de almendra (opcional)

Cubos de hielo

Triángulos de piña para decorar

Ramitas de hierbabuena para decorar

Licuar los 3 primeros ingredientes y colar.

Rectificar el dulzor, incorporar la esencia de almendra y mezclar. Tapar y refrigerar por 2 horas.

Servir en vasos con hielo, decorado con hierbabuena y piña.

Nota: para obtener leche de coco, licuar partes iguales de trozos de coco y agua caliente a alta velocidad. Colar y dejar reposar.

Ponche Oriental

3 tazas de jugo de manzana

1 astilla de canela

4 clavos de olor

3 tazas de jugo de piña

4 cdas. de jugo de limón

1 taza de jugo de naranja

2 tazas de Ginger Ale

Bloque de hielo

Rodajas de manzana
untadas con limón, para decorar

Verter el jugo de manzana en un recipiente esmaltado. Incorporar las especias, calentar y dejar hervir destapado a calor bajo por 15 minutos. Retirar las especias.

Añadir los ingredientes restantes y mezclar.

Colocar el hielo en una ponchera, verter el ponche y decorar con la manzana.

Campeche

Para 2

6 higos pelados cortados en rodajas

Azúcar al gusto

Ramita de hierbabuena

Cubrir las rodajas de higo con azúcar y refrigerar por 12 horas.

Licuar, colar y servir decorado con hierbabuena.

Carnaval Tropical

Para 6

3 1/2 tazas de agua

1 cda. de jengibre rallado

1/2 taza de azúcar o al gusto

1 1/4 tazas de néctar de guayaba

1 1/4 tazas de jugo de piña concentrado

1 1/4 tazas de jugo de naranja

4 cdas. de jugo de limón

Rodajas de guayaba para decorar

Rodajas de limón para decorar

Cubos de hielo

Verter la mitad del agua en un recipiente esmaltado, agregar el jengibre, calentar y hervir por 30 minutos. Enfriar y colar.

Verter el agua restante en otro recipiente, incorporar el azúcar y calentar, revolviendo, hasta disolver. Enfriar.

Mezclar ambas preparaciones con el néctar y los jugos restantes; servir en vasos con hielo, decorado con guayaba, limón y hierbabuena.

Refresco Antillano

Para 5

1/4 lb de arroz

Cáscara de 1/2 piña

Azúcar al gusto

Lavar la cáscara de piña y colocarla en un recipiente, agregar el arroz; cubrir con agua y hervir hasta que el arroz esté esponjado. Enfriar, licuar y colar. Incorporar azúcar al gusto y servir muy frío.

Baby Coco

1 1/2 tazas de leche de coco

3/4 lb de coco partido en trozos

2 cdas. de azúcar o al gusto

1 gota de esencia
de almendra o al gusto

Cubos de hielo

Triángulos de coco para decorar

Licuar los ingredientes. Colar y enfriar.

Servir con hielo y decorado con coco.

Nota: para obtener leche de coco, licuar partes iguales de trozos de coco y agua caliente a alta velocidad. Colar y dejar reposar.

Luna Tropical

1 piña pequeña pelada y picada

1/2 taza de jugo de limón o al gusto

1 1/2 tazas de azúcar o al gusto

4 tazas de agua

Hielo triturado (frappé)

Triángulos de piña
con cáscara, para decorar

Ramita de hierbabuena para decorar

Combinar la piña con el jugo de limón. Mezclar el azúcar con 2 tazas de agua, hervir por 4 minutos y verter sobre la piña. Incorporar el agua restante, mezclar y dejar reposar por 1 hora. Licuar y colar.

Servir con hielo triturado, decorado con hierbabuena y piña.

Antojo Muisca

Para 4

Pulpa de 8 curubas

4 tazas de leche fría

1/2 taza de crema de leche

1/2 taza de azúcar o al gusto

Licuar la curuba, la leche y el azúcar, hasta obtener una mezcla suave y cremosa. Incorporar la crema y batir.

Servir de inmediato.

Jet Set

Para 4

6 caquis cortados en cascos

6 naranjas peladas,
sin semillas y separadas en gajos

3 limones pelados,
sin semillas y separados en gajos

Esencia de vainilla al gusto

1 astilla de canela

1 clavo de olor

Espiral
de cáscara de limón para decorar

Licuar los caquis con las naranjas y limones; colar.

Verter en una jarra, incorporar la vainilla, canela y clavo. Refrigerar por 1 hora.

Retirar las especias y servir frío, decorado con limón.

Oro y Rubí

(Ver receta pág. 162)

Bella Donna

Para 4

1 lb de frambuesas

3 1/2 tazas de agua

3/4 taza de azúcar o al gusto

1 taza de jugo de limón

Cubos de hielo

Ramitas de hierbabuena para decorar

Licuar 1 taza de frambuesas con 1 taza de agua y colar.

Incorporar los ingredientes restantes y mezclar hasta disolver el azúcar.

Servir en 4 vasos con hielo, decorados con hierbabuena.

Mil y Una Noches

Para 4

3 1/2 tazas de agua

1 taza de hojas de albahaca lavadas

2 melocotones pelados
y deshuesados: 1 picado
y el otro cortado en tajadas

3/4 taza de azúcar o al gusto

1 taza de jugo de limón

Cubos de hielo

Ramitas
de albahaca para decorar

Mezclar 2 tazas de agua con la albahaca, el melocotón picado y el azúcar, calentar y hervir por 5 minutos o hasta disolver el azúcar. Enfriar y pasar por un colador presionando bien. Mezclar con el agua restante, las tajadas de melocotón y el jugo de limón.

Servir en 4 vasos con hielo, decorados con albahaca.

Campanilla

Para 4

1 taza de jugo de limón

1 taza de azúcar o al gusto

2 1/2 tazas de agua

2 limones cortados en finas rodajas

8 fresas enteras

Cubos de hielo

Ramitas de hierbabuena

Mezclar el jugo de limón con el azúcar y el agua, hasta disolver el azúcar. Rectificar el dulzor.

Servir en vasos con hielo. Introducir en cada vaso 2 fresas y decorar con hierbabuena.

Capricho Dorado

Para 1

1 durazno deshuesado, cortado en trozos

1 naranja pelada, sin semillas y cortada en trozos

1/2 taza de agua mineral con gas, fría

2 rodajas de naranja para decorar

Pasar el durazno y la naranja por el extractor de jugos y mezclar.

Incorporar el agua mineral y servir frío, decorado con naranja.

Palm Beach

1 mango deshuesado
y cortado en tajadas

1/4 limón con cáscara,
sin semillas y cortado en trozos

1/2 taza de agua mineral con gas

Hielo triturado

Tajadas de mango para decorar

Espiral de cáscara
de limón para decorar

Pasar el mango y el limón por el extractor de jugos y mezclar.

Incorporar el hielo y el agua.

Servir decorado con mango y limón.

Fizz Tropical

Para 6

1 papaya mediana pelada,
sin semillas y cortada en trozos

1 banano pelado partido en trozos

1/2 piña pelada cortada en trozos

1 taza de soda o
de agua mineral con gas, fría

Triángulos de piña para decorar

Licuar la papaya con el banano y la piña, hasta obtener una mezcla suave y cremosa. Colar.

Incorporar la soda y mezclar.

Servir frío, decorado con piña.

Capricho dorado

(Ver receta pág. 171)

Mango Melba

4 mangos pelados
deshuesados y cortados en tajadas

4 manzanas sin semillas
cortadas en cascos

Jugo de 2 limones

Miel de abejas al gusto

Ramita de menta o hierbabuena

Licuar los ingredientes y colar.

Servir frío, decorado con menta o
hierbabuena.

Calypso

1 papaya pequeña pelada,
sin semillas y cortada en trozos

2 mangos pelados,
deshuesados y cortados en tajadas

Jugo de 3 naranjas

Cáscara rallada de 1/2 naranja

Jugo de 3 limas

Cáscara rallada de 1/2 lima

Azúcar al gusto

Licuar la papaya con el mango y colar.

Incorporar los jugos y cáscaras de los
cítricos; rectificar el dulzor.

Servir frío salpicado con las cáscaras.

Sangrita

Para 7

3/4 taza
de jugo de tomate concentrado

1/4 taza de jugo de lima

1/4 taza de jugo de naranja

1 cda. de cebolla finamente picada

1/2 cdita. de ají sin semillas,
desvenado y finamente picado

1/4 cdita. de sal o al gusto

1/4 cdita. de azúcar o al gusto

Licuar los ingredientes y colar.

Verter en jarra de cristal y enfriar.

Servir en vasos rectos, pequeños con
capacidad para 2 onzas.

Ponche Princesa

Para 6

3/4 taza de jugo de toronja

6 cdas. de azúcar o al gusto

3/4 taza de jugo de naranja

1 cdita. de cáscara de naranja rallada

4 tazas de néctar de durazno

2 tazas de agua mineral con gas

Cubos de hielo

Rodajas y espirales
de cáscara de naranja para decorar

Verter el jugo de toronja en un
recipiente esmaltado, incorporar el
azúcar y calentar, revolviendo, hasta
disolver. Enfriar.

Agregar el jugo, la cáscara de naranja y
el néctar de durazno; mezclar.

Verter en recipiente de vidrio, añadir
hielo y agua mineral; servir decorado
con naranja.

Oro de Nápoles

Para 4

2 lb de tomate maduro picado

1/2 taza de hielo triturado

3 cditas. de jugo de limón

Sal y pimienta negra molida, al gusto

Rodajas de limón para decorar

Ramitas de hierbabuena para decorar

Licuar los tomates con el hielo y colar. Incorporar el jugo de limón y salpimentar.

Servir decorado con hierbabuena y limón.

Lady Tamarindo

Para 2

4 cditas. de pulpa de tamarindo

2 cditas. de miel de abejas

2 tazas de agua fría

Cubos de hielo

Ramitas
de hierbabuena para decorar

Preparar directamente en el vaso. Colocar 2 cucharaditas de tamarindo en cada vaso, 1 cdita. de miel, 1 taza de agua fría, 2 ó 3 cubos de hielo y mezclar.

Servir decorado con hierbabuena.

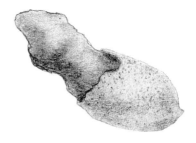

Ave del Paraíso

(Ver receta pág. 180)

Sinfonía para Marilyn

Para 4

3 tazas de fresas limpias

2 tazas de sandía
pelada, sin semillas y picada

Jugo de 2 naranjas

Jugo de 1 lima

1 cda. de azúcar o al gusto

Fresas para decorar

Rodaja de limón para decorar

Licuar los ingredientes y colar.

Enfriar y servir decorado con fresa y limón.

Sol de Jamaica

Para 4

4 cdas. de azúcar o al gusto

2 tazas de mango
deshuesado y picado

1 1/2 taza de jugo de naranja

1/2 taza de jugo de lima

Espiral de cáscara
de naranja, para decorar

1 1/2 tazas de agua • Cubos de hielo

1 cdita. de cáscara rallada de naranja

Espiral de cáscara de lima para decorar

Mezclar el azúcar con el agua y la cáscara de naranja. Calentar hasta disolver el azúcar. Enfriar y colar.

Licuar los ingredientes restantes y colar. Incorporar a la mezcla anterior.

Servir en vaso con hielo, decorado con lima y naranja.

San Andrés y Providencia

Para 2

3/4 lb de papaya pelada,
sin semillas y cortada en trozos

6 cdas. de leche de coco

3 cdas. de jugo de lima

1/2 cdita. de cáscara de lima rallada

4 cdas. de azúcar o al gusto

1/2 cdita. de esencia de vainilla

3/4 taza de hielo triturado

Rodajas de coco para decorar

Rodajas de lima para decorar

Licuar los ingredientes hasta obtener una mezcla suave y cremosa.

Servir en vasos o copas previamente enfriadas, decorado con coco y lima.

Nota: para obtener leche de coco, licuar partes iguales de trozos de coco y agua caliente a alta velocidad. Colar y dejar reposar.

Colombia Exótica

Para 6

Pulpa de 4
borojós cortados en trozos

2 tazas de agua

Azúcar al gusto

2 tazas de leche

Pizca de canela en polvo

Pizca de nuez moscada rallada

Licuar el borojó con el azúcar y el agua.

Incorporar la leche y rectificar el dulzor. Si está espeso puede agregarse más agua.

Enfriar y servir espolvoreado con canela o nuez moscada.

Crucero Polinesio

Para 6

2 s1/2 tazas de agua • Cubos de hielo

6 cdas. de azúcar o al gusto

2 mangos grandes, pelados, deshuesados y picados

1 1/2 tazas de jugo de piña

6 cdas. de crema de coco enlatada

3 cdas. de jugo de limón o al gusto

1/2 cdita. de cáscara de lima rallada

Espiral
de cáscara de limón para decorar

Mezclar el agua con el azúcar y calentar hasta disolver. Enfriar.

Verter en licuadora, incorporar los demás ingredientes y licuar hasta que esté cremoso. Colar.

Servir con hielo y decorado con limón.

Ave del Paraíso

Para 4

2 lb de mangos
pelados y deshuesados

1 cda. de cáscara de limón rallada

Jugo de 2 limones

2 tazas de suero de leche

2 tazas de hielo triturado

Azúcar al gusto

Ramita de hierbabuena para decorar

Licuar los ingredientes hasta que queden suaves y cremosos. Colar y servir decorado con hierbabuena.

Ginger Beer

1/2 taza de jengibre rallado

4 tazas de agua hirviendo

Jugo de 1 lima recién exprimido

1 taza de azúcar o al gusto

1/2 cdita. de levadura de cerveza

Espiral de cáscara
de lima para decorar

Mezclar los ingredientes y calentar. Agregar la levadura y mezclar. Retirar del fuego.

Enfriar, tapar y dejar reposar por 24 horas. Colar y refrigerar.

Servir frío, decorado con lima.

Jalapa

1 pera grande sin
semillas y cortada en trozos

1 banano pelado y cortado en trozos

1 papaya mediana pelada,
sin semillas y cortada en trozos

2 chiles jalapeños desvenados, sin
semillas y cortados en tiras

1/4 taza de coco rallado

1/2 taza de jugo de limón

6 cdas. de jugo de lima

1 cda. de azúcar

Cascos y espiral
de cáscara de limón para decorar

Licuar los ingredientes y colar.

Servir decorado con limón.

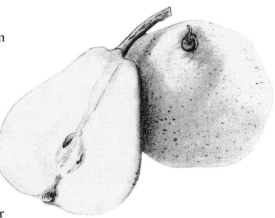

Rosa Americana

Para 2

4 guayabas cortadas en cascos

1/2 taza de azúcar o al gusto

1 taza de leche

1 taza de hielo triturado

Rodaja de guayaba para decorar

Ramita de hierbabuena

Licuar las guayabas y colar.

Verter nuevamente en la licuadora, incorporar el azúcar, la leche y el hielo. Batir hasta obtener una mezcla suave y cremosa.

Servir decorado con hierbabuena.

Morir soñando

Para 2

1 taza de leche

1 taza de jugo de naranja

3 cdas. de azúcar o al gusto

1 taza de hielo triturado

1 yema de huevo (opcional)

Espiral
de cáscara de naranja para decorar

Licuar los ingredientes.

Servir en copas, decorado con naranja.

Alhambra

Para 4

3 tazas de leche

3 cdas. de azúcar o al gusto

Jugo de 2 naranjas

1 lb de frambuesas limpias

Espiral de cáscara
de naranja para decorar

Licuar los ingredientes, colar y enfriar.

Servir decorado con naranja.

Madreperla

Para 4

3 tazas de fresas
limpias partidas en mitades

4 cdas. de jugo de limón

4 cdas. de azúcar
vainillada o al gusto

4 huevos

2 tazas de yogur
natural sin dulce, o leche

Fresas para decorar

Espiral de cáscara
de limón para decorar

Licuar los ingredientes hasta obtener
una mezcla suave y cremosa; colar.

Servir espolvoreado con nuez
moscada.

Vie en Rose

1 lb de frambuesas limpias

2 tazas de jugo de piña frío

2 tazas de yogur natural frío

4-5 cditas. de miel de abejas o al gusto

Frambuesas para decorar

Licuar los ingredientes hasta obtener una mezcla suave y cremosa; colar.

Servir frío, decorado con frambuesas.

Verano Indio

1 papaya pequeña,
madura, pelada y cortada en trozos

1/2 taza de leche

3 cdas. de jugo de limón

1/2 cdita.
de cáscara de limón rallada

4 cdas. de azúcar o al gusto

1/4 cdita. de esencia de vainilla

1 taza de hielo triturado

Rodajas de limón para decorar

Licuar los ingredientes hasta obtener una mezcla suave y cremosa.

Servir en vasos previamente enfriados, decorados con lima

Renacer

(Ver receta pág. 191)

Dama verde

Para 4

Pulpa de 1 aguacate grande maduro

4 tazas de leche fría

6 cdas. de azúcar o al gusto

Pizca de canela

Astillas de canela para decorar

Licuar los ingredientes.

Servir frío, decorado con canela.

Romeo

Para 4

Pulpa de 2 aguacates maduros

5 cdas. de jugo
de lima recién exprimido

Soda

8 cdas. de helado de vainilla

Ramitas
de hierbabuena para decorar

Licuar el aguacate con el jugo. Repartir la mezcla en 4 vasos, llenar con soda y mezclar. Incorporar el helado y mezclar.

Servir decorado con hierbabuena.

Monserrate

1 1/2 lb de papaya pelada,
sin semillas y cortada en trozos

2 tazas de jugo de piña frío

2 tazas de jugo de naranja frío

8 cdas. de crema de leche

4 gotas de esencia de almendra

Miel de abejas al gusto

Rodaja y espiral
de cáscara de naranja para decorar

Licuar los ingredientes y endulzar al
gusto con miel.

Servir decorado con naranja.

Reina del Verano

1 mango grande pelado,
deshuesado y cortado en tajadas

1 papaya pequeña pelada,
sin semillas, cortada en trozos

1 kiwi pelado, cortado en rodajas

1 banano pelado, cortado en rodajas

1 vaso de yogur natural sin dulce

Pizca de clavo
de olor en polvo para decorar

Rodaja de kiwi para decorar

Licuar los ingredientes hasta obtener
una mezcla suave y cremosa.

Servir frío, espolvoreado con clavo de
olor y decorado con kiwi.

Cleopatra

1 1/2 tazas
de yogur natural sin dulce

1 1/2 tazas de jugo
de frambuesa o fresa

1 taza de hielo triturado

2 bananos pelados partidos en trozos

20 fresas limpias

4 cditas. de lecitina

4 cditas. de polen

2 cditas. de miel de abejas

Fresas para decorar

Licuar los ingredientes.

Servir en vasos previamente enfriados, decorados con fresas.

Musa Paradisiaca

Para 4

6 bananos maduros
pelados y cortados en trozos

1 tarro de leche condensada

Azúcar al gusto

2 bolas de helado de vainilla

1 taza de hielo triturado

Licuar los ingredientes hasta obtener una mezcla suave y cremosa y servir.

Cleopatra

(Ver receta pág. 188)

Valle Imperial

1/2 taza de chontaduro molido

3 tazas de leche

1 banano pelado y cortado en trozos

1 huevo batido

3 cdas. de miel de abejas o al gusto

2-3 gotas de esencia de vainilla

Licuar los ingredientes, colar, enfriar y servir.

Vía Láctea

Para 2

1 1/2 tazas de leche

1 banano
pelado y cortado en trozos

1 gajo de limón
con cáscara, sin semillas

1 taza de hielo triturado

Nuez moscada rallada para decorar

Licuar los ingredientes.

Servir espolvoreado con nuez moscada.

Renacer

1 lb de pulpa de papaya

2 razas de leche fría

Miel de abejas al gusto

Para decorar:

1 clara de huevo
batida a punto de nieve

4 fresas maduras en puré

Miel de abejas o azúcar al gusto

Licuar los ingredientes. Enfriar.

Servir en vaso largo, cubierto con la clara de huevo batida y puré de fresas endulzado con miel.

Manzana del Paraíso

3 manzanas sin
semillas, cortadas en cascos

1 1/2 bananos maduros,
pelados y cortados en trozos

4 vasos de yogur
natural sin dulce, frío

Miel de abejas al gusto

Ramita de hierbabuena para decorar

Licuar los ingredientes hasta obtener una mezcla suave y cremosa.

Colar en vaso y servir frío, decorado con hierbabuena.

Fortunella

Para 4

4 manzanas
sin semillas, cortadas en cascos

4 melocotones pelados
deshuesados y cortados en trozos

4 tazas de leche fría

Azúcar o miel de abejas, al gusto

Casco de melocotón para decorar

Ramita de hierbabuena para decorar

Licuar los ingredientes.

Servir decorado con melocotón y hierbabuena.

Panal de Mango

Para 4

2 mangos medianos pelados,
deshuesados y cortados en trozos

2 tazas de yogur natural sin dulce, frío

2 tazas de jugo de naranja frío

Miel de abejas al gusto

Rodaja de naranja para decorar

Tajadas de mango para decorar

Licuar el mango con 1 taza de jugo de naranja y colar. Verter nuevamente en la licuadora e incorporar los ingredientes restantes.

Servir decorado con naranja y mango.

Canicas

Para 6

4 bananos maduros

1 melón cantaloupe pelado, sin semillas y cortado en trozos

2 vasos de yogur natural sin dulce, frío

8 cdas. de leche en polvo descremada

6 cdas. de jugo de naranja concentrado

8 cditas. de miel de abejas

1/2 cdita. de esencia de vainilla

Bolitas de melón para decorar

Colocar los bananos sin pelar en el congelador de un día para otro. Retirar, dejar reposar por 10 minutos, pelar, cortar en trocitos y licuar.

Incorporar los ingredientes restantes y batir hasta obtener una mezcla suave y cremosa.

Decorar con bolitas de melón y servir.

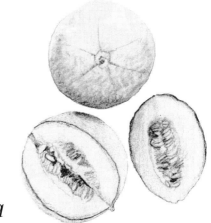

Priscilla

Para 4

Pulpa de 2 aguacates maduros

4 tazas de jugo de naranja

6 cdas. de azúcar o al gusto

Rodaja de naranja para decorar

Licuar los ingredientes y enfriar.

Servir frío, decorado con naranja.

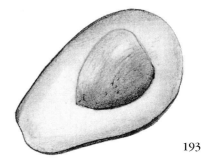

Blancanieves

4 bananos pequeños
pelados, cortados en trozos

4 huevos

4 cdas. de jugo de limón

2 tazas de yogur
natural sin dulce, o leche

4 cdas. de azúcar vainillada o al gusto

Pizca de canela
y nuez moscada en polvo

Nuez moscada en polvo para decorar

Licuar los ingredientes hasta obtener
una mezcla suave y cremosa.

Espolvorear con un poco de nuez
moscada y servir.

Sierra Nevada

2 tazas de pulpa
de guanábana sin semillas

4 tazas de leche

4 cdas. de crema de leche

Azúcar al gusto

Licuar los ingredientes hasta obtener
una mezcla suave y cremosa.

Enfriar y servir.

Cóctel Bijou

Para 4

4 tazas de jugo de naranja

2 bananos pelados partidos en trozos

4 yemas de huevo

4 cdas. de miel de abejas

3 cdas. de germen de trigo

Espiral de cáscara
de naranja para decorar

Licuar los ingredientes hasta obtener
una mezcla suave y cremosa.

Servir decorado con naranja.

Míster Mango

Para 2

4 mangos pelados, deshuesados
y cortados en tajadas

4 bolas de helado de vainilla

Ramita de hierbabuena para decorar

Licuar los ingredientes hasta obtener
una mezcla suave y cremosa. Licuar.
Servir en copas previamente enfriadas,
decoradas con hierbabuena.

Secreto del Pacífico

Para 2

1 taza de chontaduro
cocido, cortado en trozos

3/4 taza de leche fría

1/2 taza de agua fría

Azúcar al gusto

Pizca de canela en polvo

Astilla de canela para decorar

Licuar los ingredientes y colar.

Servir decorado con canela.

Belle de Jour

Para 4

3 bananos maduros
pelados y cortados en trozos

3 tazas de leche fría

1 cda. de azúcar o al gusto

2 cdas. de germen de trigo

Rodajas de banano para decorar

Licuar los ingredientes; enfriar.

Servir decorado con banano.

Sierra Nevada

(Ver receta pág. 194)

Manantial en el Desierto

1 taza de jugo de manzana

12 cdas. de jugo de maracuyá

4 cdas. de crema de coco

1 taza de jugo de naranja

1/2 taza de hielo triturado

Limonada al gusto

Hielo en cubos

Triángulo de piña
con cáscara, para decorar

8 cerezas para decorar

Licuar todos los ingredientes con excepción de la limonada y el hielo en cubos. Repartir en cuatro vasos con hielo y agregar limonada hasta llenar los vasos.

Servir decorado con piña y cereza.

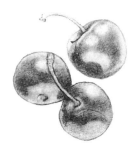

Ninfas y Hadas

1 taza de frambuesas

1/2 taza de leche

2 tazas de helado
de vainilla no muy congelado

1 lb de duraznos maduros,
pelados, deshuesados y picados

2 cdas. de azúcar o al gusto

Licuar las frambuesas con la leche, colar y verter nuevamente en la licuadora previamente enguajada.

Incorporar los ingredientes restantes y licuar hasta obtener una mezcla suave y cremosa.

Servir decorado con frambuesas.

Refresco Americano

1 badea pelada y picada

4 tazas de agua fría

1 taza de azúcar o al gusto

Nuez moscada en polvo

Semillas de badea para decorar

Licuar la badea con el agua y colar.
Incorporar el azúcar y la nuez moscada.

Agregar las semillas y servir.

Delicia Verde

Para 4

1/2 lb de espinacas

4 cditas.
de miel de abejas o al gusto

Jugo de 1 limón

4 tazas de leche

Pizca de sal

Rodaja de limón para decorar

Licuar las espinacas con 1 taza de leche
y colar. Incorporar el resto de
ingredientes y mezclar.

Servir decorado con limón.

Sol de Oriente

Para 5

1 lb de duraznos pelados, deshuesados, cortados en cascos

6 cdas. de néctar frío de albaricoque

2 cdas. de jugo de limón o al gusto

1/4 cdita. de esencia de almendras

4 tazas de Ginger Ale, frío

Rodajas de lima para decorar

Ramitas de hierbabuena para decorar

Pasar los duraznos por el extractor de jugos y mezclar con el néctar, el jugo y la esencia de almendras. Incorporar el Ginger Ale y mezclar.

Servir decorado con hierbabuena y lima.

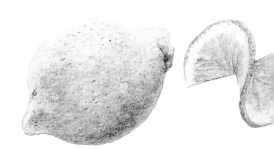

Morasurco

Para 4

1 lb de moras limpias

1/2 taza de azúcar o al gusto

4 cdas. de jugo de limón o al gusto

1 taza de hielo triturado

Soda

Rodaja de limón para decorar

Licuar las moras con el azúcar y colar. Verter nuevamente en la licuadora previamente enjuagada, e incorporar el jugo de limón y el hielo. Licuar.

Repartir el jugo en cuatro vasos y agregar soda al gusto.

Mezclar y servir decorado con limón.

Granada

Para 4

4 tazas de moras limpias

1 taza de azúcar o al gusto

4 claras de huevo

Rodaja de limón para decorar

Licuar las moras con el azúcar y colar. Verter el jugo nuevamente en la licuadora previamente enjuagada, incorporar las claras y licuar.

Servir decorado con limón.

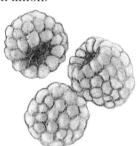

Noche de Invierno

Para 4

1/2 taza de yogur natural sin dulce

2 cdas. de crema de leche

Pizca de pimienta
de Cayena o al gusto

2 cdas. de mantequilla

2 cdas. de cebolla rallada

1 cda. de curry en polvo

1 cdita. de comino en polvo

4 tazas de jugo de vegetales

Cebolla larga pelada para decorar

Mezclar el yogur con la crema y la pimienta y reservar.

Sofreír la cebolla en la mantequilla por 1 minuto. Incorporar el curry y el comino y revolver. Agregar el jugo, mezclar, tapar y hervir a fuego lento por 10 minutos.

Servir en vasos resistentes al calor. Verter una cucharada de yogur en cada vaso y decorar con la cebolla larga.

Néctar Tropical

Para 4

1 taza de jugo de maracuyá

4 cdas. de crema de coco

4 cdas. de crema de leche

2 rodajas de piña sin cáscara

1/2 taza de hielo triturado

Cubos de hielo

Agua mineral sin gas

Triángulos de piña
con cáscara para decorar

Licuar todos los ingredientes con excepción de los cubos de hielo y los triángulos de piña. Repartir en 4 vasos con hielo e incorporar agua mineral al gusto. Mezclar y servir decorado con piña.

Atardecer

Para 4

1 taza de jugo de naranja

1 taza de suero de leche

4 cdas. de pulpa de maracuyá

1 taza de pulpa de mango

1/2 taza de hielo triturado

Cubos de hielo

Agua mineral

Rodajas de carambola para decorar

Licuar los primeros 5 ingredientes. Repartir en 4 vasos con hielo e incorporar agua mineral al gusto.

Servir decorado con carambola.

Sueño Esquimal

4 tazas de jugo de toronja

4 ciruelas deshuesadas
cortadas en cascos

4 albaricoques deshidratados

2 cdas. de uvas pasas

4 granos
de pimienta de olor (Jamaica)

4 clavos de olor

2 bayas de enebro

1 astilla de canela

Pizca de pimienta de Cayena

Jugo de limón al gusto

Espiral de cáscara
de limón para decorar

Verter los nueve primeros ingredientes en un recipiente, tapar y hervir a fuego lento por 25 minutos. Agregar el jugo de limón y mezclar.

Servir en vasos resistentes al calor decorados con la espiral de limón.

Glosario

Acelga

(*Beta vulgaris L.*): planta hortícola similar a la espinaca, pero de la familia de la remolacha. Se distingue por sus hojas de un color verde intenso o rojo y sus anchos tallos fibrosos, blancos o rojos, similares a los del apio. Su sabor es ligeramente amargo. Las acelgas son nativas de la cuenca mediterránea y de Asia Menor; fueron mencionadas por primera vez por Aristóteles y es probable que fuera una de las primeras verduras cultivadas. Es menos rica en hierro que la espinaca. Su contenido en fibra, potasio, calcio, hierro, vitaminas A, B2, ácido fólico y C es alto. También contiene hidratos de carbono, sodio, fósforo, niacina y vitamina B1.

Aguacate

(*Persea americana/ gratissima/drymifolia*): los conquistadores españoles se extasiaron con esta fruta americana que tiene la fina consistencia de una mantequilla y es suavemente aromatizada. Su pulpa amarillo verdosa tiene un ligero gusto a nueces; su aspecto exterior es el de una pera, no en vano se conoció como "peral de las Indias". Esta fruta, alimento esencial de las comunidades prehispánicas, es la más nutritiva. Hay más de 500 variedades, producto del cruce de las tres básicas: la guatemala, la mexicana y la americana. Cien gramos proporcionan 140 calorías. Contiene proteínas (en cantidades considerables), grasas, pocos azúcares, hidratos de carbono, fibra, potasio, calcio, fósforo (en cantidad apreciable), magnesio, cobre, hierro, zinc, ácido pantoténico y vitaminas PP, A, C, E, K, B1, B2, B3, B6 y ácido fólico. No contiene colesterol. Es baja en sodio. Otros nombres: palto(a).

Ajo

(*Allium sativum, L.*): parece que esta liliácea, uno de los alimentos más antiguos de la humanidad, es nativa de Asia Central; se le han atribuido poderes mágicos contra el "mal" y por eso ha tomado parte en encantamientos y sortilegios; los egipcios juraban sobre dientes de ajo, los romanos lo masticaban durante las batallas pues era la planta de Marte, el dios de la guerra, y muchas leyendas europeas hablan del poder que confiere a los atletas. Los dientes de ajo (o bulbos) crecen en lo que se conoce como cabezas de la misma planta y según su variedad, pueden ser de piel blanca o roja. Al cocinarlo pierde el 90% de su capacidad microbicida y medicinal. Empleado como condimento, transmite a los otros alimentos un gusto ligeramente picante y, sobre todo, un gran aroma. Contiene alicina (un poderoso bactericida), agua, proteínas, vitaminas PP, H (o Biotina), A, B, C; grasa, hidratos de carbono, levulosa, pectina, fitosterina, enzimas y uranio, sodio, potasio, fósforo, calcio y azufre. Cien gramos proporcionan 99,4 calorías.

Albahaca

(Ocimun basilicum): esta hierba nativa de Asia, África e India, es en Italia un símbolo de amor; dice una tradición que cuando una mujer pone albahaca en su bolcón está invitando a su amante a visitarla. Otra tradición señala que cuando un hombre regala albahaca a una mujer, ésta quedará perdidamente enamorada de él y no lo abandonará nunca. En la India es sagrada y está dedicada a Vishnu y Krishna. En la actualidad, sus distintas variedades son apreciadas en la buena cocina, en medicina, cosmética y como ornamento. Esta hierba tiene un ligero sabor picante con reminiscencias de menta y clavo.

Apio

(Apio graveolens): esta planta de la familia de las umbelíferas es nativa de Europa, fue muy apreciada por los antiguos griegos, romanos y egipcios por sus poderes medicinales. Su actual apariencia se la debemos a los cultivadores italianos del siglo XVI. Los tallos deben ser verdes, tiernos, elásticos y carnosos, en tanto que las hojas, de un agradable sabor amargo, deben ser muy verdes y frescas. Estas últimas se emplean para dar sabor a múltiples preparaciones. Cien gramos de apio proporcionan 20 calorías. Contiene vitaminas A, B1, B2, niacina, C y K. También contiene fibra, azufre, potasio, calcio, yodo, cobre, sodio, fósforo, magnesio, hierro, hidratos de carbono, grasa y proteínas.

Arveja

Ver Guisante.

Auyama

(Cucurbita maxima/ C. Moschata Duchesne): fruto de la familia de las calabazas. De origen americano, fue importante alimento de las comunidades indígenas; son famosas las vasijas quimbayas que tienen su forma. Es uno de los frutos más grandes de la naturaleza; Enrique Pérez Arbeláez dice que en Italia se cultiva una variedad de *C. moschata* que alcanza un metro de diámetro y llega a pesar 20 kilos. La pulpa de la auyama tiene un intenso color anaranjado y es comestible sólo cocida. Las semillas blancas son deliciosas si se fríen y en Rusia son usadas como condimento. Contiene tiamina, riboflavina, niacina y vitamina C; proteínas, grasas, hidratos de carbono, fibra y calcio, hierro y fósforo. Otros nombres: uyama, zapallo.

Badea

(Passiflora quadrangularis): es la más grande de las pasifloráceas, llega a medir hasta 20 cm de largo. Es nativa de las regiones más calientes de América y hoy en día se cultiva también en India y Asia suroriental. Su corteza delicada, que varía del verde al amarillo, guarda unas semillas rodeadas por un líquido viscoso y dulce y por una pulpa blanca o de color rosado claro, similar a la de los melones. Su aroma es delicioso y excitante. Otros nombres: granadilla gigante, granadilla real, parcha.

Banano

(Musa sapientum): se cree que

esta fruta es originaria de India y del sur de Asia. El primer registro escrito de su existencia data del siglo VI a. de C. en la India; ya era conocida por los griegos del siglo IV a. de C. cuando el ejército de Alejandro Magno la encontró en ese país; llegó a China en el 200 d. de C. Durante el primer milenio alcanzó África y se extendió por las islas del Pacífico; los árabes la cultivaron en sus dominios mediterráneos después del 650 d. de C. Los portugueses la llevaron de Nueva Guinea (allí era llamada *banema o banana)* a las islas Canarias y de allí un fraile español, Fray Tomás de Berlanga, tomó sus rizomas (o yemas) y los plantó en América. Pronto otros misioneros siguieron su ejemplo y el cultivo se extendió a todo el continente y de éste al mundo entero en el siglo XX. Contrario a lo que sucede con otras frutas, los bananos maduran fuera del árbol y durante ese proceso despiden gas etileno, que acelera su proceso de maduración y el de los frutos cercanos. Cuando madura, además de la pectina tiene un alto contenido de sacarosa, fructosa y galactosa. Es rico en vitamina A y pobre en proteínas; contiene además vitaminas B1, B2, B6, B12, C y PP; calcio, fósforo, sodio, hierro, magnesio, zinc, flúor. Cien gramos proporcionan 66 calorías. Otros nombres: plátano, habano, banana.

Batata

(Ipomea batata): raíces tuberizadas de sabor dulce, originarias de América; por la abundancia de su cultivo y consumo en Asia, se cree que son nativas de allí. Según la variedad pueden ser blancas, amarillas o rojizas. La pulpa es suave y levemente harinosa una vez cocida. Las batatas son ricas en hidratos de carbono, fibra, potasio, magnesio, hierro, vitaminas A, B6 y pantotenato. También contienen proteínas, grasas, calcio, fósforo y vitaminas B1, B2 y C. Son pobres en sodio. Cien gramos aportan 95 calorías. Otro nombre: boniato, patata o papa dulce.

Bayas

Ver Mora, Fresa y Frambuesa.

Berro

(Nasturtium officinale): se cree que cuando Pandora abrió la caja que Zeus le donó, sólo conservó la esperanza... y los berros, una planta acuática que crece silvestre cerca de las fuentes y a orillas de las corrientes de agua fresca y lenta. Se cultiva en muchos países por su valor alimenticio. Es rico en fibra, potasio, calcio, hierro, vitaminas A y C; también contiene proteínas, grasas, hidratos de carbono, azufre, fósforo, yodo, magnesio, flúor, cloro, vitaminas B1, B2, D, E y niacina. Es pobre en sodio. Cien gramos de berros proporcionan 45 calorías.

Borojó

(Borojoa patinoi Cuart.): fruta propia de las zonas cálidas y húmedas de la región occidental de Colombia. La fruta madura desprende un fuerte aroma, es carnosa y llena de semillas aplanadas. Puede llegar a medir 11 cm. Contiene proteínas, calcio, abundante fósforo, hierro, carbohidratos, fibra, tiamina, riboflavina, niacina y vitamina C. Es

pobre en vitamina A. Cien gramos proporcionan 93 calorías.

Borraja

(Borrago officinales): es la hierba del coraje pues, según algunas tradiciones, quien la come o bebe adquiere el valor del que carece. Esta planta es nativa de Asia Menor, sur de Europa y norte de África. Está cubierta de vellos ásperos y blancos, sus flores azules son estrelladas. Tiene un agudo sabor a cohombro. Las hojas pueden comerse salteadas como las espinacas, estofadas o crudas. También pueden comerse los tallos; tanto éstos como las hojas se usan para realzar el sabor de otros alimentos. Los expertos aconsejan consumir la borraja fresca o en vinagre aromatizado; cuando está seca o congelada su sabor es inaceptable.

Brócoli

(Brassica oleracea var, itálica): esta planta, de la familia de los repollos, proviene de Asia Menor y el Mediterráneo; se cultivó por primera vez en Italia en el siglo XVI. Por su ligero sabor a espárrago, algunos botánicos sostuvieron que era un cruce entre el repollo y esa raíz, por lo que en el siglo XVIII se conocía también con el nombre de "espárrago italiano"; sin embargo, no tienen nada que ver. Hay distintas variedades: blanco, verde y morado; hojas, tallo y flores son comestibles. El brócoli es rico en fibra, potasio, magnesio, calcio, vitaminas A, K, B2, B6, ácido fólico, pantotenato y C. Contiene cobre, cloro, azufre, hierro, fósforo, proteínas, grasas, hidratos de carbono, vitamina B1 y niacina. Es pobre en

sodio. Cien gramos de brócoli proporcionan 29 calorías. Otros nombres: brécol, bróculi.

Calabacín

(Cucurbita pepo): variedad de calabaza originaria de África meridional, cilíndrica y delgada, de color verde brillante a veces con vetas amarillas. La pulpa es firme y jugosa. Si se come tierno no es necesario pelarlo. Las semillas son comestibles. El calabacín es rico en fibra y contiene proteínas (aunque escasas), hidratos de carbono, potasio, calcio, fósforo, vitaminas A, B1, B2, niacina y C. Es pobre en sodio. Cien gramos proporcionan 8 calorías. Otro nombre: zucchini.

Canela

(Cinnamomun zeylanicum): corteza del canelo o cinamomo, árbol nativo de Ceilán (Sri-Lanka) y China. También se conoce como canela a la cassia *(Cinnamomun cassia),* planta de la misma familia, conocida como "canela china" pues en ese país se usa desde el 2500 a. de C. El sabor de la canela es picante y cálido, el aroma suave y, sin embargo, penetrante. La cassia, aunque similar, es más fuerte y ligeramente amarga. La mejor canela es la más pálida; en polvo se deteriora rápidamente. La canela contiene un aceite esencial de acción bactericida y estimulante, en particular de las funciones digestivas. Son múltiples los usos medicinales de este producto. La canela es una de las especias más antiguas; en algunas épocas ha sido indispensable en la cocina y por eso mismo muy codiciada; por detentar su monopolio se desencadenaron

episodios bélicos, tiranías y esclavitudes, e incluso expediciones de descubrimiento.

Caqui

(Diospyros kaki): fruto del palosanto, originario de Japón, China y Corea, que según la variedad tiene o no grandes semillas incrustadas en la pulpa. Su apariencia es la de un tomate anaranjado, aunque su forma puede ser cónica, redonda, aplanada o casi cúbica. Su pulpa es anaranjada y no muy firme. Es ligeramente agridulce y astringente cuando aún no está maduro. Es rico en agua (82%), potasio y vitaminas A, C y PP. Contiene fósforo, sodio y, cuando no está maduro, tanino. Cien gramos proporcionan 65 calorías. Otros nombres: kaki, albaricoque del Japón.

Carambola

(Averrhoa carambola): es jugosa, refrescante y levemente ácida, aunque un poco insípida. La carne, amarilla o anaranjada, es crujiente y desprende un aroma muy agradable; además, contiene pequeñas semillas ovaladas que deben retirarse antes de consumirla. Al cortarla transversalmente se obtienen estrellas de cinco puntas, muy decorativas. La carambola es originaria de Indonesia, India, Ceilán y la península Malaca. Contiene varios ácidos, entre ellos el oxálico y vitaminas A y C.

Cebolla

(Allium cepa): esta hortaliza de la familia de las liliáceas se caracteriza por su versatilidad, aroma y sabor. Es originaria de Persia y fue introducida en Egipto por los caldeos. Allí se consideraba una planta sagrada y se le rendía homenaje; luego pasó a todo el mundo conocido. Hay varias clases de cebollas, con diferentes tipos, formas y colores, que van desde las dulces y suaves hasta las picantes y fuertes. Es rica en fibra y contiene varios ácidos orgánicos, azúcares, insulina vegetal, calcio, potasio, silicio, cloro, azufre, hierro, flúor, enzimas, porteínas, pectina, hidratos de carbono y vitaminas A, E, B1, B2 y niacina. Es pobre en sodio. Cien gramos de cebolla proporcionan 44 calorías.

Cebollín

(Allium schoenoprasum): planta nativa de Oriente, fue ampliamente usada por los chinos y griegos, empezó a usarse con frecuencia en Europa durante el siglo XVI, fue introducida en América por los colonizadores. Sus tallos finos, huecos y verdes, finamente picados se usan frecuentemente para aromatizar sopas, tortillas, ensaladas o entradas. Tiene un delicado sabor a cebolla. Contiene aceite de azufre. Otros nombres: cebollino, cebolleta.

Cereza

(Prunus avium -dulce- / cerasus -ácida-): su nombre deriva del griego kerasos, y era conocida en la cuenca del Mediterráneo a. de C. Plino el Viejo relata que se había extendido por todo el Imperio Romano en el siglo I d. de C. y que se conocían ocho variedades. Con la

caída del Imperio Romano su cultivo declinó y sólo hasta el siglo XVII se reintrodujo en Inglaterra y otros países, de donde pasó a las colonias americanas. Los japoneses veneran los cerezos como símbolo de gracia, cortesía y femineidad. Con el tiempo los cultivadores han mezclado y mejorado las dos especies básicas obteniendo cerezas rojas, amarillo-naranja y negras, dulces, ácidas o agridulces, tiernas o duras; se cultivan más de novecientas variedades dulces y trescientas ácidas. Las primeras son originarias de Asia Menor, Europa, Persia, el Cáucaso y África septentrional, en tanto que las ácidas son nativas de la península Anatolia. La cereza es rica en vitaminas A, B1 y B2, contiene agua, proteínas (aunque escasas), azúcar (levulosa y glucosa), pectina, potasio (no en las variedades ácidas), calcio, silicio, sodio, cloro, magnesio, hierro, fósforo, zinc y ácidos málico y tartárico. Cien gramos de cereza dulce proporcionan 38 calorías y cien gramos de la variedad ácida, 41. Otros nombres: guinda.

Chile

Ver Pimientos.

Chontaduro

(Guillielma gasipaes o Bactris gasipaes H. B. K.): fruto de una planta palmácea propia de las selvas húmedas americanas desde Costa Rica hasta el Brasil. Fue tan valiosa para los indígenas del continente que uno de los cronistas españoles afirmó: "Después de la mujer e hijos no estimaban otra cosa en tanto". Entre los actuales indígenas amazónicos el chontaduro es sinónimo de abundancia, bienestar y alegría; por eso está involucrado en muchos de sus ritos para celebrar la vida y la muerte. Este fruto es ovalado, y su ápice puede ser obtuso o agudo, la corteza varía de color, puede ser amarilla, roja o anaranjada y la pulpa es harinosa y carnosa. El chontaduro contiene proteína (tanta como el huevo), potasio, hidratos de carbono, grasas, abundante vitamina A, riboflavina, tiamina, niacina y C. Otros nombres: cachipay, chonta, pirijao, tembo, pupunha, pejibaye, chichagui, chontadura, pichiguao, pipire, tenga.

Cilantro

(Coriandrum sativum): hierba aromática originaria de la región mediterránea oriental, que ha sido cultivada por más de tres mil años. En la antigüedad fue muy apreciada por sus propiedades medicinales, los egipcios ofrendaban sus semillas a los dioses y es una de las hierbas amargas de los judíos. Hacia el año 200 a. de C., los chinos creían que el cilantro podía conferir la inmortalidad. En *Las mil y una noches* figura como afrodisíaco. La planta alcanza hasta 1 metro, sus hojas inferiores son compuestas, anchas y lobuladas, en tanto que las superiores son largas y están divididas en finas laminillas; las flores pueden ser blancas o rosadas y están dispuestas en umbela. Las semillas se usan como condimento una vez deshidratadas.

Ciruela

(Prunus domestica L.): según Pérez Arbeláez, este nutritivo fruto originario de Asia, presenta tres

variedades básicas: las redondas y un poco alargadas, de color violeta oscuro, muy dulces y especiales para deshidratar; las Claudias, casi redondas de color amarillo-naranja rojizo, son ácidas, y las ciruelas de huevo, que son completamente ovaladas y cuyo color varía del amarillo al rojo. Las ciruelas son ricas en azúcar, potasio, calcio y vitaminas. También contienen hierro,sodio, silicio, magnesio y fósforo. Cien gramos proporcionan 643 calorías. Cien gramos de ciruela pasa o deshidratada porporcionan 300 calorías y comparadas con las frescas son más ricas en potasio, hierro, calcio, fósforo y sodio.

Clavo de olor

(Eugenia Caryophyllata/E. aromatica/Caryophyllus aromaticus/ Jambosa caryophyllus): son las flores aún sin abrir de una planta mirtácea, nativa de Asia suroriental y cultivada en algunos países tropicales, especialmente en Zanzíbar. Para acondicionar los capullos como la fuerte especia que todos conocemos, se deshidrata hasta alcanzar el color café rojizo profundo que los caracteriza. Los clavos poseen propiedades medicinales, especialmente antisépticas.

Coco

(Cocos nucifera): fruto de una palma originaria de las costas de Asia suroriental (algunos botánicos creen que es nativa de América tropical). La corteza áspera y velluda esconde la carne (o nuez) blanca y deliciosa y la refrescante agua de coco. El agua de coco contiene grasas, proteínas, azúcar, ácido orgánico y vitaminas B1, B2, B6 y C. Cien gramos proporcionan 250 calorías. La nuez contiene grasas,

proteínas, azúcar, celulosa, hierro, calcio, silicio, fósforo, magnesio, cloro y vitaminas B3, A, C y B. Cien gramos proporcionan 360 calorías.

Coliflor

(Brassica oleracea var. Botrytis cauliflora): esta planta de la familia de los repollos, es nativa del Mediterráneo y apareció en Francia e Inglaterra hacia el final del siglo XVI. Está formada por inflorescencias blancas, firmes y apretadas. Es rica en fibra, potasio, vitminas K, B6, ácido fólico, pantotenato y C; también contiene proteínas, grasas, hidrtos de carbono, calcio, fósforo, magnesio, hierro, yodo y vitaminas A, B1, B2 y niacina. Es pobre en sodio. Cien gramos de coliflor proporcionan 25 calorías.

Crema de coco

Licor azucarado de coco.

Crema de leche

Es rica en agua, grasas y vitaminas A y D; también contiene lactosa, calcio, fósforo y proteínas.

Diente de león

(Taraxacum officinale): se cree que fue una de las *hierbas amargas* mencionadas en el Antiguo Testamento. Es una planta silvestre de hermosas flores amarillas sostenidas por un tallo largo y hueco; sus hojas, frecuentemente usadas en ensaladas por los franceses, deben comerse antes de que aparezca la flor, pues entonces se tornan mucho más amargas.

Algunos emplean su raíz deshidratada como sustituto del café. En Japón es usado como verdura. Las variedades cultivadas en Europa son más grandes que las silvestres. También es empleado en medicina. Contiene vitaminas y minerales, entre ellos hierro. Otros nombres: amargón, escorzonera.

Durazno

(*Prunus persica Mill*): este fruto es originario de China y está caracterizado por su piel suave, ligeramente vellosa, y el sabor agridulce de su pulpa firme y jugosa, de color amarillo o blanco. Su cáscara también varía: amarilla, dorada y algunas casi rojas. Hay tres clases de duraznos: los de hueso no adherido a la pulpa, los de hueso adherido a la pulpa y los melocotones o nectarinas, de piel suave y libre de vellosidades. El durazno contiene 91% de agua, vitaminas A, B1, B2 y C; hierro, potasio, calcio, fósforo y sodio. Es muy rico en azúcares (glucosa y sacarosa) y pobre en proteínas. Cien gramos proporcionan 45 calorías. Otros nombres: melocotones, nectarinas.

Eneldo

(*Anethum graveolens*): hierba nativa del Mediterráneo y del sur de Rusia. Era conocida ya por los griegos, quienes coronaban a los héroes de guerra con ella. En Roma, donde era símbolo de vitalidad, engalanaban las salas de fiesta con guirnaldas fabricadas con sus flores amarillas. En la Edad Media se usaba para repeler a las brujas. En culinaria se usan tanto las hojas verdeazules como las

semillas, de sabor más fuerte. Otros nombres: aneldo, hinojo, hediondo, falso anís.

Espárrago

(*Asparagus officinalis*): brote tierno de una planta de la familia de las liliáceas, nativa del Mediterráneo oriental y de Asia Menor. Los egipcios ofrendaban a sus dioses con manojos de espárragos; era alimento favorito de los griegos; los romanos lo usaron en un principio como medicina, pero después de familiarizarse con su delicioso sabor, se hizo insustituible en la cocina. Durante la Edad Media fue olvidado y se cree que fueron los árabes quienes lo introdujeron en España, de donde pasó al resto de Europa. El espárrago fresco debe ser rígido, quebradizo, de color claro y brillante al cortarlo. Cien gramos de espárragos proporcionan 25 calorías. Es rico en vitaminas A y C, contiene asparagina (elemento constituyente de muchas sustancias proteínicas), azúcar, calcio, fósforo, potasio, magnesio, arsénico y vitaminas B1, B2 y PP.

Espinaca

(*Spinacia oleracea*): se disputan su origen Persia y el Oriente lejano; lo cierto es que ya era apreciada por los griegos y romanos y que se hizo popular en el norte de Europa durante el siglo XVI. La espinaca es rica en fibra, potasio, calcio, magnesio, hierro, yodo, flúor, vitaminas A, E, K, B6, ácido fólico y C; también contiene proteínas, grasas, hidratos de carbono, sodio, fósforo, vitaminas B1, B2, C y niacina (PP). Cien gramos proporcionan 36 calorías.

Estragón

(Artemisia dracunculus/ dracunculoides): esta hierba aromática, nativa del Mar Caspio y Siberia, fue introducida en Europa por los moros. Sus raíces en forma de serpiente hicieron pensar a los antiguos que podía contrarrestar los efectos de las mordeduras de serpientes; también creían que evitaba la fatiga. Es un ingrediente de las finas hierbas, aunque su aroma es fuerte y domina sobre los otros. En culinaria se usan sus hojas lanceoladas, verdes y delicadas. Otro nombre: dragoncillo.

Flores de Hibisco

También llamadas de San Joaquín, de Cayena o francesilla.

Frambuesa

(Rubus idaeus): las frambuesas son similares a las moras, pertenecen a la misma familia y es difícil distinguirlas. Son jugosas y tienen un delicioso y delicado sabor dulce. Pueden ser blancas, amarillas, rosadas, rojas o negras. Las más conocidas son oriundas de Europa, pero también hay variedades nativas de América del Norte, Asia Menor y septentrional. Los primeros en cultivarlas fueron los griegos: las llamaron *idaeus* porque desde entonces crecen silvestres en las laderas del monte Ida. Contienen azúcar (levulosa), ácidos málico, salicílico y cítrico; abundante celulosa, poca proteína, pectina, vitaminas del grupo B, A y C; calcio, fósforo, magnesio y hierro. Cien gramos proporcionan 34 calorías. Otros nombres: bayas.

Fresa

(Fragaria): las fresas silvestres son originarias tanto del Nuevo como del Viejo Mundo y su sabor es mucho mejor que el de las fresas cultivadas industrialmente. Estos cultivos empezaron en el siglo XIV. En el siglo XVII ingresaron a Europa las primeras variedades de fresas originarias de Norteamérica; en el siglo XVIII, arribaron las suramericanas y los grandes cultivadores la hibridaron para obtener la fresa cultivada actual, de la que hay muchas variedades con diversidad de tamaños, formas, colores y sabores. Las hojas contienen tanino y son astringentes y diuréticas. El fruto contiene proteínas, grasas, azúcares (fructosa y galactosa), ácidos salicílico y cítrico, pectina, calcio, sodio, potasio, magnesio, bromo, fósforo, hierro y vitaminas A, B1, B2, PP, K, E y C. Cien gramos proporcionan 27 calorías. Otros nombres: frutilla, baya.

Germen de trigo

Componente del grano del cereal rico en materias nitrogenadas y grasas no saturadas, proteínas (35 a 45%), sales minerales (magnesio) y vitaminas, especialmente C y E. El germen de trigo no sólo revitaliza el organismo sino que ayuda a controlar los niveles de colesterol.

Ginger Ale

Agua gasificada con esencia de jengibre.

Granadilla

(Passiflora ligularis A. Juss): fruto originario de América

caracterizado por la corteza anaranjada, con pequeños puntos blancos. Aunque contiene muchas semillas negras es jugosa; la pulpa es de sabor dulce y suave. La granadilla crece en áreas montañosas templadas, de México a Perú; también se cultiva en Hawai, principalmente. Otros nombres: granadilla de China, parchita amarilla.

Granadina

Bebida refrescante preparada con agua y jarabe de granadina. Éste se elaboraba anteriormente con granadas (ricas en pectina y fósforo), pero en la actualidad se prepara con sustancias vegetales, ácido cítrico y frutas rojas. Se usa para colorear los cócteles y aperitivos.

Guanábana

(Annona muricata): esta fruta ovalada, la más grande de las anonáceas, es originaria de las regiones tropicales de América. Oscila entre los 10 y 30 cm de largo y llega a pesar 11 libras. La corteza verde oscura es delgada y espinosa, cubre una pulpa fresca, blanca y muy refrescante. No deben consumirse las semillas porque contienen toxinas. La guanábana se caracteriza por su aroma invasor, penetrante y su pulpa exquisita. Este fruto contiene proteína, azúcares, grasas, hidratos de carbono, celulosa y vitaminas B y C. Cien gramos aportan 64 calorías. Otro nombre: zapote agrio

Guayaba

(Psidium guajaba L.): antiguo fruto americano que los españoles y portugueses llevaron inicialmente a las Filipinas y costas de la India; de allí se difundió al resto del mundo. Su piel fluctúa entre el amarillo y el rosado, es de carne suave aunque llena de abundantes semillas duras, lo que ha generado cierta resistencia a su consumo ya desde la época de la Conquista. La pulpa puede ir del blanco al rosado y desprende un delicioso aroma. El sabor de la guayaba es ideal cuando está madura. Es rica en vitamina C (cinco veces más que la naranja) y vitamina A, hidratos de carbono, fibra, ácido tánico, calcio, fósforo, hierro y las vitaminas C, tiamina, riboflavina y niacina. Cien gramos proporcionan 36 calorías.

Guisante

(Pisum sativum): fruto de una leguminosa de cuyas variedades pueden consumirse o bien las vainas enteras o las semillas de su interior (arvejas); algunas son verdes o amarillas y lisas o rugosas. Son más nutritivos los frescos que los deshidratados. Los guisantes fueron conocidos por los antiguos griegos, romanos, hindúes y chinos; durante la Edad Media alcanzaron gran popularidad, de ahí que hayan pasado a América con el Descubrimiento. Los guisantes son ricos en riboflavina, niacina, vitamina C, calcio, fósforo, hierro, proteínas y fibra. También contienen hidratos de carbono, vitamina A, tiamina y grasas. Cien gramos aportan 45 calorías. Otros nombres: arvejas, tirabeques (vainas enteras), chícharos.

Hierbabuena

(Mentha spicata o viridis): dice la leyenda que Perséfone, celosa

del amor que sentía Hades hacia la ninfa Menta, la convirtió en una planta humilde. Hades no pudo deshacer el "encanto" pero lo suavizó tanto como pudo: cuanto más maltratada sea la menta, más dulce es el aroma con que embriaga. La hierbabuena es una de las muchas variedades de esta planta originaria del Mediterráneo y de Asia Menor, donde es símbolo de hospitalidad desde tiempos remotos. La hierbabuena, habitual en muchos jardines, no contiene mentol y se usa solamente por su sabor, favorable a muchos alimentos. Otros nombres: yerbabuena, menta.

Hinojo

(Foeniculum vulgare): planta de sabor suave y anisado, nativa del Mediterráneo; las finas hojas verdes se emplean como hierba para aromatizar los platos; los bulbos (que van del blanco al verde pálido) se usan como verdura, y las semillas deshidratadas se incluyen en numerosos platos (entre ellos, pies de manzana, curries y pescados). Rico en fibra y vitamina A; contiene proteínas, grasas e hidratos de carbono. Cien gramos proporcionan 25 calorías.

Huevo

La clara transparente contiene agua, albúmina y la mitad de las proteínas totales del huevo; la otra mitad está en la yema, que también contiene lecitina, hierro, azufre y vitaminas A, B, D y E. Contiene todos los aminoácidos necesarios al hombre. Cien gramos aportan 76 calorías.

Jarabe

Los jarabes de frutas o aromatizados se preparan con azúcar disuelta en agua, a la que se adicionan los zumos de frutas o esencias aromáticas y se sirven siempre diluidos con agua, en bebidas refrescantes. Por ejemplo, para preparar el jarabe de fresas, se mezcla el zumo de 1 kg de fruta con 1,8 kg de azúcar en 1,5 litros de agua, se cocina a alta temperatura, se deja enfriar y se filtra. Otros nombres: zumo, sirope.

Jengibre

(Zinziber officinale): la raíz de esta planta, nativa de Asia suroriental, se consigue en el mercado entera, en rodajas o molida. Mientras que en Oriente es un condimento indispensable, en Occidente apenas se emplea en confitería, pastelería y para aromatizar bebidas.

Jícama

(Pachyrrhizus erosus): tubérculo leguminoso nativo de México, de pulpa blanca y delgada corteza carmelita. La forma es semejante a la del rábano.

Kiwi

(Actinidia chinensis): su origen está en China, donde era cultivado en los jardines imperiales; allí era símbolo de amor y fertilidad. Su apariencia actual se debe a que los

neozelandeses convirtieron el pequeño fruto leñoso en uno dulce, levemente ácido, de piel marrón y algo vellosa que esconde una pulpa verde esmeralda, atravesada por rayos blancos; pequeñas semillas negras circundan una estrella irregular de color crema en el centro de la fruta. Hacia 1930 los neozelandeses la "bautizaron" con el nombre de su pájaro nacional, el kiwi. Aunque este fruto es escaso en proteína, contiene abundante celulosa, ácido cítrico y ascórbico (vitamina C), vitamina B5 y E; también contiene calcio, hierro, magnesio, fósforo, potasio, cromo y la enzima actinidina. Cien gramos proporcionan 45 calorías.

Lecitina

Sustancia orgánica nitrogenada y fosforada indispensable para el funcionamiento normal de las células. También contiene grasas. Está presente en la yema de huevo, en la soya y en otros vegetales. Contiene glicerina, ácidos grasos, ácido fosfórico y colina.

Leche de coco

Se obtiene al licuar a alta velocidad igual cantidad de trozos de coco y agua caliente. Esta mezcla se cuela y deja reposar.

Leche

Es la principal fuente de calcio del ser humano; también contiene agua, proteínas (15,5 g), lactosa (azúcar), minerales (calcio, fósforo, hierro, grasas, hidratos de carbono y vitaminas, especialmente A, B1, B2, niacina, B6, ácido pantoténico, biotina,

C y D). Es baja en sodio. Cien gramos aportan 65 calorías. La leche mejora el valor nutricional de los alimentos a los que se agrega.

Lechuga

(Lactuca sativa): vegetal cultivado desde la antigüedad en Medio Oriente y del que se conocen actualmente muchas variedades, entre ellas se destacan la romana (alargada y de hojas duras) y la crespa (la iceberg es una de ellas). La lechuga contiene calcio, hierro, potasio, magnesio y vitaminas A, B1, ácidos nicotínico, pantoténico y fólico, pirodixina, C y E. Es muy rica en clorofila.

Lima

(Citrus limetta/aurantifolia): este fruto de piel fina y gran aroma es originario de Asia suroriental, desde donde se extendió al mundo gracias a los marineros españoles y portugueses, que la consideraban esencial para librarse del escorbuto. Se usa como sustituto del limón en jugos, cócteles, encurtidos y curries. Hay dos variedades, una de fruto pequeño, ovalado y ácido y otra de fruto redondo, más dulce y aromático, especial para perfumar con su fragancia cualquier bebida. La primera es la C. aurantifolia, y la segunda es la C. limetta, con aroma similar al de la Bergamota y cuya pulpa carece por completo de ácido cítrico, según Pérez Arbeláez. La lima contiene principalmente ácido cítrico y vitamina C, también vitamina P, B5 y B6, sacarosa, pectina, esencias y sales minerales. Otro nombre: limón (lima ácida) en Colombia.

Limón

(Citrus limon): se cree que esta versátil fruta ácida es originaria de la India y que fue introducida en Europa por los árabes. Se hizo muy popular en la Edad Media y actualmente se cultiva en todo el mundo. Es un bactericida natural. No es conveniente tomarlo en ayunas porque, aunque es muy benéfico, su uso prolongado podría causar úlcera gástrica o duodenal. Su corteza contiene ácido cítrico, málico y tartárico, pectina, azúcares, inositol y vitaminas B, C y P. El jugo contiene proteínas, azúcares, calcio, fósforo, hierro, vitamina B1, PP y C.

Lulo

(Solanum quitoense Lam.): fruta ácida originaria de la zona andina. El color varía del verde y amarillo al anaranjado intenso. La cáscara está cubierta por innumerables vellosidades punzantes. La pulpa es ligeramente verde y contiene numerosas semillas pequeñas y blancas. Es rica en vitaminas A y C y niacina; también contiene tiamina y riboflavina. Otros nombres: lulo de Castilla, toronja, naranjillo.

Maíz

(Zea Mays): gramínea de origen americano. El maíz es muy nutritivo y fue tan importante para los indígenas de América que en su mitología éste origina al hombre, no sólo fue su alimento sino también su principio vital. Este cereal se caracteriza por los granos (que pueden ser amarillos, blancos, grises, rojizos, azules...), adheridos a una espiga y cubiertos suavemente por hojas algo estriadas, de color verde pálido, coronadas por hilos pardos; este conjunto se denomina mazorca. El maíz es rico en hidratos de carbono, fibra, potasio, fósforo, magnesio, vitaminas A, B6, ácido fólico y pantotenato. También contiene proteínas, grasas, calcio y vitaminas E, B1, B2 y C. Es pobre en sodio. Cien gramos aportan 136 calorías.

Mandarina

(Citrus reticulata/ nobilis): originaria de China, esta fruta es más pequeña y menos ácida que la naranja; además, es redonda y algo achatada. La cáscara y pulpa son de un bello color anaranjado, la primera es delgada y se desprende fácilmente. El interior puede separarse en gajos sin dificultad. Es muy jugosa, de rico sabor y suave perfume. La mandarina contiene 79 % de agua, es rica en vitamina C y calcio. Su contenido de vitamina A es más alto que el de la naranja. Contiene algo de bromo y potasio. Cien gramos proporcionan 43 calorías.

Mango

(Mangifera indica): fruta originaria de India, donde llegó a ser símbolo de status. En el primer siglo de nuestra era arribó a China, y en el décimo a Persia, pero fue sólo hasta el siglo XVI que los portugueses lo llevaron de India al África; llegó a Brasil en el siglo XVIII y a Hawai, México y la Florida en el XIX. Aunque actualmente crece en la mayoría de las zonas tropicales del mundo, India continúa siendo su mayor productor.

Lo distinguen la semilla grande, la piel suave y lisa, del amarillo oro a los más hermosos tonos de rojo, según la variedad; la pulpa jugosa, entre ácida y dulce y más o menos fibrosa. Cuando está verde también es muy apetecido con distintos condimentos: sal, limón, vinagre, pimienta... entonces es firme, ácido, más bien seco y muy refrescante. Es fuente importante de vitamina A, contiene también sacarosa, vitaminas B, C y D; pectina, zinc y manganeso. Cien gramos proporcionan 40 calorías Otros nombres: mango biche (verde), manguey, manga, mango de azúcar.

Manzana

(Malus communis o sylvestris): se cree que esta fruta es originaria del nordeste de Turquía y que viajó con los asiáticos que invadieron Europa. Por eso se encuentra aún hoy a la orilla de los caminos que forjaron sus sucesivas invasiones. Ramsés II, cautivado por su sabor y fragancia, ordenó que los manzanos fueran plantados en los jardines reales, a las orillas del Nilo. Son tan agradables que por ellas bien pudo perderse el Paraíso o iniciarse la guerra de Troya, como nos lo recuerda la mitología. La manzana es rica en potasio, fósforo, calcio, azufre, magnesio, hierro, cobre; y vitaminas A, B1, B2, C y PP. También contiene abundante fructosa y glucosa, por lo que es un aporte energético importante.

Maracuyá

(Passiflora edulis): planta nativa de Brasil. El fruto tiene el tamaño de un huevo de gallina, puede ser púrpura o amarillo; desprende un perfume atrayente, su sabor es al mismo tiempo dulce, ácido y fuerte, su jugo es muy refrescante y las semillas son comestibles. A veces se emplea para realzar el sabor de otros alimentos. Esta fruta es rica en vitaminas C, A, B1, B2, B3 y B12; contiene ácido orgánico, azúcar, proteínas, hidratos de carbono, fibra, potasio y calcio. Otros nombres: fruta de la pasión, parcha, parchita.

Melocotón

Ver Durazno.

Melón

(Cucumis melo L.): este fruto pertenece a la familia de las calabazas, inicialmente fue cultivado en Egipto y sólo arribó a Europa durante el Renacimiento. Hoy en día se cultiva en todo el mundo. Hay muchas variedades, pero todas se distinguen por la pulpa jugosa, suave y dulce, y la fragancia envolvente. El color varía del blanco al amarillo. Es mejor consumirlo maduro y los expertos aconsejan no refrigerarlos. Esta fruta contiene vitaminas A, B y C; hierro, potasio, calcio, fósforo, sodio y proteínas. Cien gramos proporcionan 25 calorías.

Menta

Ver Hierbabuena.

Miel de abejas

La miel es el producto que elaboran las abejas a partir del néctar que toman de las flores o de otras secreciones de las plantas. La miel almacenada en las colmenas es purificada para producir las variedades comerciales. Según la flor de la que se haya tomado el néctar es el sabor final de la miel. La miel contiene agua, azúcares (glucosa, levulosa y sacarosa), proteínas, ácidos, calcio, magnesio, potasio y fósforo.

Mora

(Rubus fruticosus/ ulmifolius/ glaucus/ursinus/bogotensis H. B. J.): en la actualidad hay más de 2.000 variedades de esta fruta nativa de las regiones frías. El fruto está compuesto por una pulpa algo ácida alrededor de la cual crecen pequeños granitos de un rojo tan profundo que parece negro, su pulpa es firme y jugosa. La forma cambia según la variedad, las hay redondas y pequeñas o alargadas y grandes. El sabor es excelente. La mora contiene ácido salicílico, málico, cítrico y oxálico; vitaminas A, C y del grupo B; hierro, potasio, calcio, fósforo y sodio; tanino y un aceite esencial bactericida. Su contenido proteínico es bajo. Cien gramos aportan 31 calorías. Otros nombres: zarzamora, baya.

Nabo

(Brassica campestris var. rapa): de este antiguo vegetal, alimento principal de los europeos del norte hasta que conocieron la papa, se consumen principalmente las raíces, que pueden ser redondas, planas o cilíndricas, amarillas o blancas y a menudo con carne verde o púrpura en la parte superior. También se consumen sus hojas. Es rico en calcio, fibra, ácido fólico y vitamina C; también contiene proteínas, hidratos de carbono, potasio, fósforo, magnesio, hierro, vitaminas B1, B2 y niacina. Cien gramos proporcionan 20 calorías.

Naranja

(Citrus sinensis): las jugosas, bellas y versátiles naranjas son nativas de Asia. Las primeras que fueron llevadas a Europa por los árabes, hacia el final del Imperio Romano, eran tan amargas que no se podían comer crudas, aunque atraían mucho por el suave aroma que siempre las ha caracterizado, eran las *Citrus aurantium* y aún se cultivan para hacer mermeladas y aromatizar licores y perfumes. Las variedades dulces fueron llevadas a Europa por los portugueses e introducidas en América por Cristóbal Colón, quien llevó semillas a la actual Haití, en su segundo viaje (1493). Esta fruta ha conquistado el mundo por su color, aroma y dulzura. Una naranja proporciona 34 calorías, es riquísima en vitamina C y contiene vitaminas A, B1, B2, B3, B5, B6 y E; ácidos pantoténico, fólico, citrico, málico y oxálico, sacarosa, proteínas, sales minerales (calcio, fósforo, magnesio, azufre y potasio) y oligoelementos (zinc y hierro).

Néctar

Zumo azucarado de una fruta. También es el líquido azucarado que producen las flores y a partir del cual las abejas elaboran la miel; contiene agua y minerales.

Nuez moscada

(Myristica fragans): especia proveniente de las islas Molucas y de Indonesia, que consiste en una nuez que se usa entera o rallada.

Papa

(Solanum tuberosum): este tubérculo, quizá el más popular del mundo, es nativo de América y fue base de la alimentación del pueblo inca. Francisco Pizarro, conquistador del Perú, la llevó a España en 1534, después se extendió por Europa y Parmentier le dio categoría, pues era tenida por alimento de indigentes. Salvó a varios pueblos europeos de hambrunas. Hay muchas variedades de papas pero dos o tres tipos básicos: las tempraneras o nuevas, las amarillas y las harinosas. El sabor varía según el suelo en que hayan sido cultivadas. La papa es rica en hidratos de carbono, fibra, potasio, magnesio y vitaminas B6 y C; contiene 77% de agua, vitaminas A, K, B1, B2, niacina y ácido fólico; almidones, grasas, proteínas, calcio, fósforo, hierro y yodo. Es baja en sodio. Cien gramos aportan 86 calorías. Otro nombre: patata.

Papaya

(Carica papaya L.): esta fruta aromática fue cultivada por los indígenas precolombinos, quienes también empleaban las hojas del papayo para envolver la carne y así ablandarla rápidamente. En Occidente empezó a usarse desde una perspectiva puramente medicinal, para favorecer los procesos digestivos, por su alto contenido en papaína (llamada "pepsina vegetal"), una sustancia que facilita la asimilación de las proteínas y está presente en toda la planta. Se conocen 20 variedades. Contiene poco azúcar y sustancia proteínica, en tanto que es abundante en vitamina A, asociada con vitamina D, y niacina, hierro, ácido málico y papaína. Cien gramos proporcionan 43,3 calorías. Otros nombres: melón zapote, fruta bomba, lechosa.

Pepino

(Cucumis sativus): se cree que es nativo de la India, fue cultivado por los egipcios, griegos y romanos, quienes consideraban que favorecía la inteligencia. Se come antes de que su maduración se complete; los mejores son los firmes de apariencia fresca. Es rico en fibra. Contiene abundante agua, proteínas, grasas, hidratos de carbono, calcio, fósforo, magnesio, hierro, yodo, vitaminas A, B1, B2, niacina y ácido fólico; cucurbitol, lectina, celulosa, ácido salicílico y tartárico, mucilago y goma. Es bajo en sodio. Cien gramos proporcionan 15 calorías. Otros nombres: pepino cohombro, cohombro.

Pera

(Pyrus communis): este "regalo de los dioses" como la llamó Homero, es nativa del Medio Oriente y de Europa oriental. Se conocen más de 1000 variedades de esta fruta; algunas de las que conocemos hoy se deben a los esfuerzos de los plantadores franceses y belgas del siglo XVIII. Su pulpa es jugosa y dulce. Cien gramos proporcionan 41 calorías. Es rica en ácido málico y cítrico, contiene fructosa, pectina, fósforo, calcio, sodio, magnesio, yodo y vitamina C.

Perejil

(Petroselinum hortense): planta herbácea de la familia de las umbelíferas, usada para realzar el sabor de las comidas y para conferirles frescura. Como un homenaje a Hércules los griegos ofrecían guirnaldas de perejil a los atletas vencedores. Esta hierba tiene múltiples usos: culinarios, cosméticos y medicinales. Contiene proteínas, luteína, apiol, azufre, hierro, cobre, manganeso y vitaminas A, C y K.

Pimienta de Cayena

(Capsicum annumm var. frutescens): especia picante producida al moler una variedad de chiles nativos de América Central.

Pimienta de olor

(Pimenta dioica L.): esta especia es la baya inmadura y deshidratada de un árbol nativo de América y las Antillas. Su sabor parece una combinación de canela, nuez moscada y clavos de olor. Aunque se ha intentado producir la especia fuera de América, en otras partes del mundo el árbol no fructifica.

Pimientos

(Capsicum frutescens y annuum): fruto de una planta de la familia de las solanáceas de origen americano. Los hay dulces o picantes, en variadas formas, tamaños y colores. Es muy rico en vitamina C, A, B6 y fibra, contiene proteínas, grasa, hidratos de carbono, potasio, calcio, fósforo, magnesio, hierro y vitaminas P, E, B1, B2, niacina y ácido fólico. Es pobre en sodio. Cien gramos de pimiento proporcionan 25 calorías. Otros nombres: pimentón, guindilla, ají o chile (variedades picantes).

Piña

(Ananas comosus/sativus): fragante fruta tropical nativa de América, más concretamente de Paraguay y Brasil, de sabor dulce y ácido. Es mejor comprarla ya madura porque la piña verde al "madurar" no alcanza la dulzura que desarrollaría en la planta. Es rica en ácido cítrico y málico; contiene sacarosa, fibra, pectina y vitaminas C, A, B1, B2 y PP; calcio, fósforo, magnesio, hierro, sodio, potasio, zinc, yodo y silicio. También contiene bromelina, una enzima que facilita la asimilación de las proteínas, que se destruye con la cocción. Otro nombre: ananás.

Polen

El polen de las flores tiene un alto contenido en proteínas, vitaminas, sales minerales, hormonas y compuestos antibióticos.

Pomelo

(Citrus maxima): fruto originario de Malasia e Indonesia. Es el cítrico más grande; puede alcanzar los 30 cm de diámetro. Fue llevado a España por los árabes, y a mediados del siglo XVII introducido en América, clima más propicio para su cultivo. Su pulpa es entre amarga y dulce y algo seca, tiene piel delgada de color

amarillo verdoso. Es rico en proteínas, azúcares, potasio, sodio, azufre, calcio, magnesio, hierro, fósforo, cloro, vitaminas B1 y C y ácido cítrico. Otro nombre: toronja.

Rábano

(Raphanus sativus): no se ha establecido si es nativo del sur de Asia o de Egipto; los hay en variedad de sabores, formas y colores, picantes o más suaves, pequeños y redondos, otros son alargados y de color pálido, incluso blancos. Es muy rico en hierro, contiene calcio, yodo, vitaminas A, B y C, proteínas, carbohidratos y grasas. Cien gramos proporcionan 30 calorías.

Raíz china

Soya, brotes recién germinados de algunos vegetales (por ejemplo: fríjoles, lentejas).

Remolacha

(Beta vulgaris L.): una versión acerca de su origen dice que esta hortaliza desciende de una planta nativa de las costas mediterráneas y que fue cultivada por los alemanes durante la Edad Media. Otra versión señala que fue cultivada hace 2000 años en el Medio Oriente y que los griegos y romanos comían sus hojas, que tienen un sabor similar al de las espinacas; aunque son muy nutritivas, por costumbre preferimos comer su raíz de carne roja, jugosa y de exquisito sabor. Las mejores son las duras que tienen la piel suave. Es rica en potasio, ácido fólico y fibra. Contiene proteínas, grasas, hidratos de carbono, calcio, fósforo, hierro, silicio, sodio, azufre y vitaminas A, B1, B2, niacina y C. Cien gramos proporcionan 40 calorías.

Repollitas de Bruselas

(Brassica oleracea var. bullata gemmifera): estos repollos miniatura son en realidad yemas de forma globular con hojas apretadas y compactas que crecen a lo largo del tallo, en la axila de las hojas. Se cultivaron por primera vez en Bruselas en el siglo XIII. Las mejores son las pequeñas, firmes y muy verdes. Las repollitas son ricas en azufre, potasio y vitaminas. Cien gramos aportan 54 calorías.

Repollo

(Brassica oleracea, spp.): esta planta, nativa de Europa y Asia Menor, siempre ha gozado de prestigio por sus cualidades medicinales y culinarias. Hay muchas variedades, siendo las más conocidas la roja, la blanca, la Savoy (caracterizada por tener forma redonda y hojas apretadas) y la china (de hojas largas y menos apretadas). A esta familia pertenecen la coliflor, las repollitas de Bruselas y el brócoli, que merecen una descripción aparte. El crespo y firme Savoy es considerado uno de los de mejor sabor. Las hojas del repollo, en particular las exteriores, son ricas en fibra, magnesio, vitaminas K y C; también contiene vitaminas A, B1, B2, niacina, proteínas, grasas, hidratos de carbono, potasio, calcio, fósforo, hierro, yodo y flúor. El repollo es bajo en sodio. Cien gramos de repollo proporcionan 25 calorías. Otros nombres: col.

Ruibarbo

(Rheum rhaponticum/ palmatum): aunque realmente no es una fruta, es tratado como tal. Se usa el tallo largo y rosado, ácido; se aconseja cocerlo con azúcar para hacerlo más agradable. Las hojas no deben consumirse pues son venenosas debido a su alto contenido de ácido oxálico. El ruibarbo es originario del Tíbet y de China septentrional; sus rizomas se han utilizado con propósitos medicinales en India, China, Mongolia y Siberia, desde hace miles de años. El ruibarbo tiene un alto contenido en agua, es rico en vitamina C, calcio, fósforo, hierro, proteínas y fibra. También contiene vitaminas A y B e hidratos de carbono. Cien gramos proporcionan 15 calorías.

Salvia

(Salvia officinales): en la antigüedad la salvia, nativa de la costa norte del Mediterráneo, se asociaba con la longevidad y se creía que incrementaba la capacidad mental. Su nombre deriva del latín *salvus* y en la Italia del siglo X se difundió este aforismo: "Salvia, salvadora, conservadora de la naturaleza, ¿por qué muere el hombre que tiene salvia en su huerto?". La salvia es muy apreciada en la cocina por su sabor agradablemente amargo. También es muy popular en los cultivos de ciertos productos por repeler los insectos dañinos. Los indígenas americanos dieron uso medicinal a las muchas variedades de salvia nativas del continente, entre ellas la salvia blanca *(Lippia chilensis Shaner o Sphacele, Lindleyd Benth).*

Sandía

(Cucurbita citrallus): fruto rosado, refrescante y de suave sabor dulce, que puede pesar entre 3 y 9 kilos y ser redondo u ovalado. La sandía es originaria de África y se cultiva desde hace más de 4000 años. Actualmente crece en todo el mundo. Tiene un alto contenido en agua (95%) y aporta vitaminas A, C y B3. Es pobre en azúcares y contiene algo de potasio y zinc. Cien gramos contienen 30 calorías. Otros nombres: patilla, melón de agua.

Tamarindo

(Tamarindus indica): semillas ovaladas y brillantes, a las que se adhiere una pulpa de color marrón, muy ácida, aunque de sabor exquisito. Estas semillas están dentro de una vaina leñosa, quebradiza y de color canela. El tamarindo proviene de África oriental e India, de hecho su nombre se deriva del árabe, lengua en la que significa "dátil de la India". Contiene ácidos cítrico, málico, tartárico y acético, azúcares, pectina, vitaminas A y C y potasio. Cien gramos proporcionan 270 calorías.

Tomate

(Lycopersicum esculentum): fruto de la planta de la familia de las solanáceas, originaria de Suramérica y de gran uso en la cocina del mundo. Se consiguen rojos o verdes, en variedad de formas y tamaños; comerlos crudos es no sólo una verdadera delicia, sino una saludable forma de alimentarse. Es uno de los alimentos más ricos en vitaminas,

especialmente en vitamina C (se calcula que consumir un tomate al día cubre el 50% de necesidades diarias del organismo). Contiene ácido cítrico, que estimula y facilita la digestión y ácido glutámico (responsable de su sabor). Las semillas contienen vitamina E y fitina, una sustancia rica en fósforo. Cien gramos de tomate proporcionan sólo 20 calorías. Este fruto es rico en fibra, potasio, magnesio, vitaminas A, C, K, ácido fólico, B1 y B2. También contiene proteínas, grasas, hidratos de carbono, calcio, fósforo, hierro, yodo y flúor. Es especialmente bajo en sodio. Otros nombres: jitomate.

Tomate de árbol

(Cyphomandra betacea cav. Sendt.): fruta originaria de los bosques andinos de clima templado y frío. Generalmente es ovalada, pero puede ser redonda o acorazonada. Su color varía del anaranjado y el rojo naranja hasta el morado oscuro; la cáscara lisa es amarga mientras que la jugosa pulpa anaranjada tiene un gusto ligeramente picante y ácido, siempre delicioso. Es rica en vitamina C, A, niacina y fósforo, también contiene tiamina, riboflavina, hierro, calcio. Otros nombres: pepino de árbol, tomate, tamarillo.

Toronja

(Citrus paradisi): es uno de los cítricos más grandes, su sabor es entre amargo y dulce, su corteza puede ser amarillo verdosa o suavemente rosada. La pulpa generalmente es amarilla pálida, con excepción de las variedades rosadas, que son más dulces. Las toronjas

dulces, producto de un antiguo cruce con la naranja, son nativas de Asia, de donde fueron llevadas a las Antillas en el siglo XVIII; de allí pasaron a Florida. Actualmente sus principales productores son Israel, Argentina y Suráfrica. Contiene 91% de agua, es rica en sodio y pobre en vitamina C. No contiene vitamina A. Otros nombres: greys, grapefruits.

Toronjil

(Melissa officinalis L.): su fragancia es suave y similar a la del limón, con una leve remembranza de menta. Proviene de Oriente Medio donde era tomado en infusión para combatir el cansancio y el dolor de cabeza. Los árabes la apreciaban muchísimo, sostenían que era buena tanto para los desórdenes del corazón como para elevar el espíritu. Esta hierba aromática es nativa del sur de Europa y del norte de África; en la actualidad crece silvestre en todo el mundo. Sus hojas tienen uso medicinal y culinario.

Uva

(Vitis vinifera): esta fruta es originaria de Asia Menor, desde donde fue introducida por los antiguos griegos en Italia y Francia; los romanos fueron grandes viticultores, extendieron el cultivo a todo su imperio. Hay otras variedades, originarias de América *(V. Labrusca)* y Suráfrica *(V. Capensis).* La *V. vinifera* fue introducida en América por los portugueses y españoles, bien entrado el siglo XVII, al mismo tiempo que los holandeses lo hacían en Suráfrica. De la *V. vinifera* y de la uva americana se hace el vino; los híbridos surgieron

para defender a las uvas europeas de las plagas que las asolaban y frente a las cuales eran inmunes las variedades americanas. Generalmente, las uvas son verdes o negras, la pulpa siempre es blanca y puede tener un ligero toque rosado. El sabor varía según el suelo y el clima de la región donde son cultivadas; las mejores deben ser tiernas y desprender un delicado perfume. Contiene agua, proteínas, azúcares, calcio, fósforo, hierro y vitaminas A, B1, PP y C. En la cáscara hay tanino, ácido málico, ácido tartárico y oligoelementos de gran importancia. Cien gramos proporcionan 74 calorías.

Vainilla

(Vanilla planifolia): de esta orquídea nativa de América, se usa la vaina deshidratada, que contiene numerosas semillas incrustadas en la pulpa oscura. La vaina está recubierta por diminutos cristales y desprende un magnífico aroma. Es una de las especias más consumidas del mundo, aunque su consumo ha decaído desde que se descubrió su principio activo, la vanillina, que se produce en laboratorios y es ampliamente comercializada. Sin embargo, el sabor de la verdadera vainilla es inigualable.

Yerbabuena

Ver Hierbabuena.

Yogurt

Leche fermentada, algo ácida y espesa, que se logra introduciendo una especie microbiana en la leche después de su pasteurización. Este proceso eleva los contenidos de aminoácidos, ácidos grasos sencillos y ácidos fólicos. El yogurt es fácilmente digerible y ayuda al crecimiento de la flora instestinal; contiene ácido láctico, prótidos, calcio, fósforo, grasas y vitaminas. Cien gramos proporcionan de 37 a 46 calorías.

Zanahoria

(Daucus carota): raíz de una planta umbelífera, de dulce sabor y alto valor nutricional, originaria de Afganistán y cultivada por los alemanes ya en la Edad Media. Este vegetal básico se conoce actualmente en todo el mundo. Cien gramos de zanahoria proporcionan 40 calorías. Contiene caroteno en dosis importantes (que se transforma en vitamina A dentro del organismo), además de magnesio, calcio, sodio, fósforo, hierro, yodo, hidratos de carbono, proteínas, azúcares y vitaminas B1, B2, K, C y niacina.

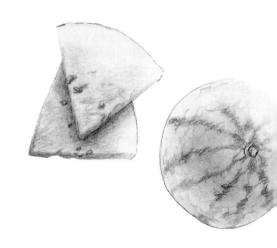

Bibliografía

ARBOLEDA, Ana Cecilia. *Alimentación sana: fuente de vida.* Editorial Voluntad S. A., Bogotá, D. C., 1993.

ARIAS ALZATE, Pbro. Eugenio. *El libro de las plantas medicinales.* Editorial Oveja Negra, Ltda., Santa Fe de Bogotá, D. C., 1991.

ARTIGAS GARCÍA, Dr. José. *La dieta cosmética.* Plaza & Janés, S. A., Espulgues de Llobregat (Barcelona, España), 1983.

BARKIE, Karen E. *Sweet and Sugarfree.* Martin's Press, Nueva York (Estados Unidos), 1982.

BASTYRA, Judy, y CANNING, Julia. *A Gourmet's Book of Fruti.* Salamander Books Ltd., Londres (Inglaterra), 1989.

BIANCHINI, Francesco, y CORBETTA, Francesco. *Frutos de la tierra; Atlas de las plantas alimenticias.* Editorial Aedos, Barcelona (España), 1974.

BLAUER, Stephen. *The Juicing Book.* Avery Publishing Group, Inc., Garden City Park, Nueva York (Estados Unidos), 1989.

BOXER, Arabella, y BACK, Philippa. *The Herb Book.* Octupus Books Limited, Londres (Inglaterra), 1980.

CARLSSON, Sonja. *Tejes Turmixok.* Pesti Szalon Könyvkiadó, Budapest (Hungría), 1992.

Culpeper's Color Herbal. Sterling Publishing Co., W. Foulsham & Co., Londres (Inglaterra), 1983.

DAVIDSON, Alan, y KNOX, Charlotte. *Fruit.* Mitchell Beazley, Londres (Inglaterra), 1991.

DEDAUX, Devra. *The Sugar Reef Caribbean Cookbook.* Dell Publishing, Sugar Reef, Inc., Nueva York (Estados Unidos), 1989.

ELBERT, Virginia F., y George A. *Down-Island Caribbean Cookery.* Simon & Schuster, Nueva York (Estados Unidos), 1991.

GENTILS, René, y JOLLIVET, Patrice. *El libro de la alimentación.* Ediciones Daimon, Barcelona (España), 1983.

GENTRY, Pat, y DEVEREUX, Lynne. *Juice It Up!* 101 Productions/The Cole Group, Santa Rosa (California, Estados Unidos), 1991.

GOTFRYD, Alex. *Passion Fruit.* Doubleday, Nueva York (Estados Unidos), 1992.

Gran Larousse de la cocina, tomos 1 al 8. Editorial Planeta-De Agostini, S. A., Barcelona (España), 1988.

GRANDE COVIÁN, Francisco. *Nutrición y salud.* Ediciones Temas de Hoy, S. A., Editorial Planeta Venezolana, S. A., Caracas, 1988.

GRIGSON, *Sophie. Sophie Grigson's Ingredients Book.* Pyramid Books, Londres (Inglaterra), 1991.

JOYCE, Franz, y POZAS HERMOSILLA, B. *El crudivorismo.* Ediciones Dalmau Socias, Editors, S. A., Barcelona (España), s/f.

KORDICH, Jay. *The Juiceman's Power of Juicing.* William Morrow and Company, Inc., Nueva York (Estados Unidos), 1992.

LE PONCIN, Monique, y SEGUIN, Henri. *Alimente su inteligencia.* Editorial Voluntad, S. A., Santa Fe de Bogotá, D. C., 1992.

Libro de la cocina natural, el. Oasis, S. L., Integral Ed., Barcelona (España), 1992.

LÓPEZ ALEGRET, Pedro. *El libro de la nutrición.* Alianza Editorial, Madrid (España), 1990.

Mixen - Die 130 schönsten Drinks. Burda GMBH, Munich (Alemania), 1992.

MOYER, Anne. *Las fibras y su salud.* Universo, México, D. F., 182.

MUNTER, Carol. *Las vitaminas.* Edad, Madrid (España), 1978.

PASSEBECQ, Dr. André. *Tu salud por la dietética y la alimentación sana.* Editorial Hispano Europea, S. A., Barcelona (España), 1986.

PÉREZ ARBELÁEZ, Enrique. *Plantas útiles de Colombia.* Librería Colombiana, Camacho Roldán, Bogotá, 1956.

REDARD PAYNE, Rolce, y SPEYER SENIOR, Dorrit. *Cooking with Fruit.* Crown Publishers, Inc., Nueva York (Estados Unidos), 1992.

Rodale's Ilustrated Encyclopedia of Herbs. Rodale Press, Inc., Emmaus (Pennsylvania, Estados Unidos), 1987.

ROMERO CASTAÑEDA, Rafael. *Frutas silvestres de Colombia.* Segunda edición, Instituto Colombiano de Cultura Hispánica, Revista *El mirador del Sabio Mutis,* Santa Fe de Bogotá, D. C., 1991.

SALA, Orietta. *La frutta del Bosco.* Idealibri S. p. A., Milán (Italia), 1990.

——————— *La frutta della Campagna.* Idealibri S. p. A., Milán (Italia), 1987.

——————— *La frutta esotica.* Idealibri S. p. A., Milán (Italia), 1988.

SARMIENTO GÓMEZ, Eduardo. *Frutas en Colombia.* Ediciones Cultural Colombiana Ltda., Santa Fe de Bogotá, D. C., 1986.

STEELE, Louise. A *Gourmet's Book of Vegetables.* Salamander Books Ltd., Londres (Inglaterra), 1989.

Tierra Americana (colección) Tomos: *Tomate, Papaya, Piña, Aguacate, Guayaba y Maracuyá.* Editorial Voluntad, S. A., Santa Fe de Bogotá, D. C., 1992.

TOLLEY, Emily, y MEAD, Chris. *Herbs-Gardens, Decorations and Recipes.* Clarkson N. Potter, Inc./Publishers, Crown Publishers, Nueva York (Estados Unidos), 1985.

TOUSSAINT-SAMAT, Maguelonne. *Historia natural y moral de los alimentos.* Tomo 1: *La miel, las legumbres y la caza.* Alianza Editorial, S. A., Madrid (España), 1991.
Tomo 6: *La sal y las especias.* Alianza Editorial, S. A., Madrid (España), 1991.
Tomo 8: *Las frutas y las verduras.* Alianza Editorial, S. A., Madrid (España), 1991.

TREWBY, Mary. *A Gourmet's Book of Herbs and Spices.* Salamander Books Ltd., Londres (Inglaterra), 1989.

VAGA, Eugenio G. *La salud con fruta y verdura.* Editorial De Vecchi, S. A., Barcelona (España), 1978.

Verduras. Printer Latinoamericana Ltda., Círculo de Lectores, s/l. s/f.

Vitaminas para mejorar su salud. Universo, México D. F., 1982.

WHITE, Joanna. The *Juicer Book.* Bristol Publisher Enterprises, Inc., San Leandro (California, Estados Unidos), 1992.